R. Bozzone Costa, C. Ghezzi, M. Piantoni

Contatto

1B Corso di italiano per stranieri

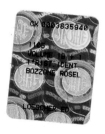

LOESCHER EDITORE

Referenze iconografiche. p. 99: J.Downing 2002/ Archivio Loescher; **p. 100**: A. Campagna/ "In Viaggio. Toscana", n. 84, settembre 2004; **p. 101**: ICPonline; **p. 104**: A.Garozzo, 2002; **p. 108**: P. Bianco; **p. 116**: *(in senso orario, dall'alto)* ICPonline; S. Amantini/ "Viaggi e sapori", dicembre 2002; U. Isman/ "Bell'Italia", n. 211, novembre 2003; M. Guglielminotti; **p. 118**: *(in senso orario, dall'alto)* N.Doz/"In Viaggio", n. 44, maggio 2001; Schoner Wohnen; Thelma e Louise/ Studio Adna/ "Sale e pepe", aprile 2003; "Viaggi e sapori", dicembre 2002; **p. 123**: *(dall'alto in basso)* "La Repubblica delle Donne", n. 427, 2004; "Shout", n. 266, 2003; B. Buccafusca/ "Grazia", n. 37, 18/9/2001; "Casamica", 01/11/03; Panorama; **p. 131**: *(in senso orario, dall'alto)* ICPonline; Studio Adna / "Sale e Pepe", gennaio 2003; **p. 136**: ICPonline; R. Bozzone Costa; **p. 137**: *(in senso orario, dall'alto)* R. Bozzone Costa; ICPonline; **p. 138**: Reinhardt/ Vision/ Neri/ "Specchio", 19/03/05; **p. 141**: M. Guglielminotti; **p. 142**: SuperStock; **p. 143**: ICPonline; **p. 144**: Olympia Stock; **p. 145**: *(da sx a dx)* R. Bozzone Costa; "Sport Week"; **p. 149**: *(in senso orario, dall'alto)* ICPonline; P.Coll; **p. 150**: ICPonline; **p. 154**: *(in senso orario, dall'alto)* S.Galeotti/"In viaggio", n.67; ICPonline; F. Montani; **p. 156**: "Gente casa", marzo 2002; **p. 157**: *(dall'alto in basso)* Ikea 2004; "Cose di casa", gennaio 2004; **p. 159**: *(in senso orario, dall'alto)* "Bravacasa", agosto 2004; Ikea 2004; "Gente casa", n. 10, dicembre 2003; "Casa facile", marzo 2001; **p. 168**: Ikea; **p. 172**: White Star, 1996; **p. 173**: "La Repubblica delle Donne", n.323, 2002; **p.174**: *(in senso orario, dall'alto)*: G.Evangelisti; ICPonline; "Focus", n. 78, aprile 1999; G.Evangelisti; p.171: Bell'Italia, 2000; **p.176**: B. Malmgrem; **p.180**: ICPonline; **p.185**: Rio Movie; **p.186**: ICPonline; **p.188**: ICPonline;

Esercizi. p. 59: *(in senso orario, dall'alto)* G. Lotti/ Contrasto/ "Specchio", 10/04/05, Luigi Ghirri/ TCI; Mantero/ Fotogramma/ "Specchio", 10/04/05; **p. 61**: *(da sx a dx)* Combipel, 2002; "Max & Co", Catalogo 2003; "Glamour", 2002; M. Severini / "Amica", 06/06/2001; **p. 67**: *(da sx a dx)* G. Canitano/ Arcana Srl, 2003; C. Kerber/"Brigitte Young Miss", 21/06/2000; **p. 68**: ICPonline; **p. 69**: Landen; **p. 72:** ICPonline; **p. 76:** ICPonline.

ISBN 9788820111052

Loescher Editore S.r.l. opera con sistema qualità certificato CERMET n. 1679-A
secondo la norma UNI EN ISO 9001-2000

Coordinamento editoriale: Laura Cavaleri
Redazione: Chiara Versino, Laura Cavaleri
Ricerca iconografica: Emanuela Mazzucchetti, Floriana Montani
Disegni: Marco Francescato, Rino Zanchetta
Progetto grafico: Bussi & Gastaldi
Impaginazione: Bussi & Gastaldi, Byblos srl - Torino; Giorcelli & C. - Torino
Fotolito: Graphic Center - Torino

Stampa: Sograte – Città di Castello (PG)

indice

8 unità **Mi fai vedere qualche foto della tua famiglia?** pag. 136

Funzioni
- descrivere gradi di parentela
- descrivere l'aspetto fisico e la personalità
- descrivere gli studi fatti
- augurare: *Buon Natale!*

Lessico
- nomi di parentela
- aggettivi per descrivere l'aspetto fisico e la personalità
- titoli di studio: *diploma, laurea;* materie e voti
- ○ prefissi di negazione: *impaziente*

Grammatica
- aggettivi possessivi con i nomi di parentela: *mia madre, i miei cugini*
- imperfetto per descrivere luoghi/persone e abituale
- pronomi diretti e indiretti (sintesi)
- accordo participio passato con i pronomi
- ○ preposizioni: *di (un fratello di 16 anni), per (ho vissuto in Italia per 6 anni)*
- ○ connettivi: *anche se*

Pronuncia e ortografia
- suoni [l] / [ʎ] (*filo / figlio*)
- ○ enfasi
- ○ ‹l› /‹ll› / ‹ gli›

Cultura
- ricorrenze familiari: *nascita, matrimonio, laurea*
- tradizioni del matrimonio in Italia
- tendenze nella famiglia italiana: *separazioni, natalità, ruoli, "famiglia lunga"*
- sistema scolastico italiano

9 unità **Verrà proprio un bell'appartamento!** pag. 154

Funzioni
- esprimere l'intenzione di fare qualcosa / fare progetti
- esprimere dubbi
- fare promesse
- fare previsioni
- fare supposizioni
- chiedere / dare informazioni su una casa da comprare o affittare
- chiedere e dare informazioni su misura, forma e materiale di oggetti della casa
- chiedere / dare il permesso di entrare

Lessico
- stanze della casa
- mobili e oggetti della casa
- forme e materiali
- nomi composti da verbo + nome: *colapasta*
- ○ numeri da 100 a 1.000.000

Grammatica
- futuro semplice:
  – alcuni usi
  – alcuni verbi irregolari: *sarò, avrò, farò, starò, potrò, vedrò*
- imperfetto per azioni in corso
- preposizioni e espressioni di luogo: *davanti, vicino a, su, sopra*
- ○ connettivi causali: *perché, siccome*

Pronuncia e ortografia
- suoni [ɲ] / [n] (*bagno / nano*)
- suoni [m] / [n] (*metro / naso*)
- ○ ‹n› /‹m›; ‹n› /‹nn›; ‹m› /‹mm›; ‹n› /‹gn›

Cultura
- tipi di case
- casa di proprietà, seconda casa
- arredamento e cura della casa
- oggetti tipici delle case italiane

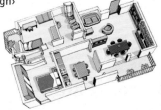

 *cultura* **La popolazione** pag. 172

10 unità **Come stai?** pag. 174

Funzioni
- chiedere e dire come ci si sente
- parlare della propria salute: *mi fa male / mi sono fatto male*
- chiedere e dare consigli per la salute

Lessico
- malattie e disturbi
- cure e medicinali
- parti del corpo
- verbi di movimento: *sdraiarsi, alzarsi, saltellare*
- avere *fame, sete, sonno, freddo, caldo*
- essere *contento, arrabbiato, triste, stanco*
- ○ *prima, dopo, durante*

Grammatica
- posizione dei pronomi
  – con l'imperativo
  – con l'infinito
- opposizione passato prossimo e imperfetto (introduzione)
- alcuni pronomi e aggettivi indefiniti: *niente, nessuno, qualcosa, qualcuno, qualche, alcuni*
- ○ connettivi: *mentre*

Pronuncia e ortografia
- suoni [j] / [w] (*infermiera / uomo*)
- dittonghi *au, ia ai, io, oi, uo, eu*
- ○ suoni [f] / [v] (*fiore / vaso*)

Cultura
- curarsi: le medicine "alternative"
- italiani e fumo
- medico di famiglia

Sezione esercizi

Icone

 Funzioni linguistiche

 Esercizi di espansione

 Attenzione

 Rimando alla sezione esercizi

Com'è fatto questo libro

Il volume del corso è articolato in **5 unità didattiche**, suddivise in 6 sezioni (Per cominciare, Per capire, Lessico, Grammatica, Pronuncia, Produzione libera).

Ogni **unità** si apre con una **sintesi degli obiettivi didattici**.

Per cominciare: presentazione dei temi dell'unità e di alcune parole chiave.

Lessico: attività di rinforzo, memorizzazione e ampliamento del lessico che riguarda i temi dell'unità.

Nel box **Confronto tra culture** sono proposte delle riflessioni sulla cultura italiana attraverso un parallelo con il proprio Paese.

Pronuncia: esercizi sull'intonazione, la fonetica e l'ortografia.

Per capire: ascolti e letture per la comprensione orale e scritta.

Grammatica: percorsi di riflessione ed esercizi sulle strutture grammaticali incontrate nei testi.

Produzione libera: attività orali e scritte per riutilizzare in modo libero e creativo ciò che si è imparato nell'unità.

Ogni unità si chiude con una sezione di **sintesi funzionale e grammaticale**.

I **Dossier** cultura approfondiscono con testi e immagini dei temi di attualità dell'Italia di oggi.

Al fondo del volume, nella sezione **Strategie per imparare**, si trovano delle schede per riflettere su come migliorare la propria capacità di parlare, leggere, scrivere, ampliare il vocabolario e usare il dizionario.

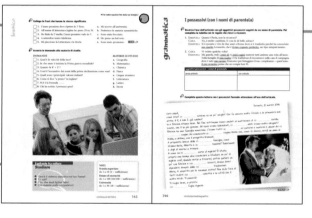

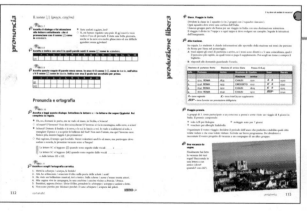

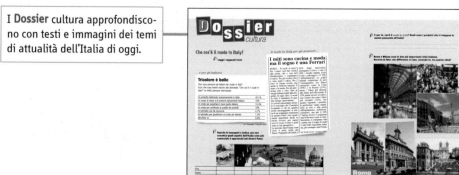

l'italiano per la classe

1. Che cosa c'è nella classe?

Scrivi il nome degli oggetti.

2. Come ti piace lavorare in classe e perché?

In coppia	Da solo	in gruppo	Con tutta la classe	A turno

3. Metti in ordine di importanza queste abilità per imparare l'italiano. E tu che cosa preferisci?

Ascolta	Parla	Leggi	Scrivi

Fare esercizi di grammatica	Imparare parole nuove	Fare esercizi di pronuncia

4. Che cosa dico se...?

DOMANDE	RISPOSTE
1. _____	*A turno* significa uno studente alla volta.
2. _____	Si dice *tedesco*.
3. _____	Si scrive *e esse e erre ci i zeta i o*.
4. È chiaro cosa dovete fare?	[tu hai capito] _____
5. Per compito scrivete un e-mail di presentazione	[tu non hai sentito, domandi] _____
6. _____	No, attenzione il pronome è sbagliato.
7. _____	No, domani è festa.
8. [ad un compagno] _____	Sì, prendilo, io ne ho un altro.

5. Per capire le istruzioni degli esercizi

istruzioni

(Scrivi le istruzioni sotto ogni disegno)

fai una croce   rispondi
completa   guarda
cancella   associa
ripeti   domanda
immagina   sottolinea
scegli

_____

_____

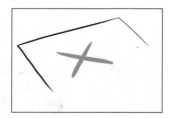

_____

_____

_____

_____

_____

_____

_____

_____

_____

_____

livello A2
elementare

E tu, dove sei andato in vacanza?

*In questa unità impari a parlare delle vacanze,
a prenotare un viaggio, a dare suggerimenti e a
raccontare dei fatti al passato.*

per cominciare

● **Che cosa ti piace fare in vacanza?**

● **In quale stagione vai in vacanza, di solito?**

in primavera **in estate** **in autunno** **in inverno**

per capire

E tu, dove sei andato in vacanza?

🔘 **CD** 2 t.1

1ᵃ **Claudio è alla stazione di Milano. Ascolta e prova a raccontare a un compagno che cosa è successo a Claudio.**

1ᵇ **Riascolta e indica l'alternativa corretta.**

1. Claudio chiede informazioni alla biglietteria perché
   - ☐ **a.** ha perso il treno
   - ☐ **b.** non sa a che ora parte il treno
   - ☐ **c.** deve comprare il biglietto

2. Claudio in treno parla
   - ☐ **a.** con la persona che ha vicino
   - ☐ **b.** con un amico
   - ☐ **c.** con un collega di lavoro

3. Claudio è in viaggio
   - ☐ **a.** per lavoro
   - ☐ **b.** perché va a trovare la sua ragazza
   - ☐ **c.** perché va in vacanza

4. Claudio va a
   - ☐ **a.** Bologna
   - ☐ **b.** Firenze
   - ☐ **c.** Parma

5. L'estate scorsa Leo è andato in vacanza
   - ☐ **a.** a San Gimignano
   - ☐ **b.** in Australia
   - ☐ **c.** a Viareggio

6. Che periodo dell'anno è?
   - ☐ **a.** estate
   - ☐ **b.** autunno
   - ☐ **c.** inverno

🔘 **CD** 2 t.2

1ᶜ **Riascolta il primo dialogo e scrivi l'orario di partenza e di arrivo dei treni. Poi indica l'alternativa corretta.**

		stazione	ora	stazione	ora
partenza		MILANO		BOLOGNA	
arrivo		BOLOGNA		FIRENZE	

1. Per andare a Firenze
   - ☐ **a.** questa sera non ci sono più treni
   - ☐ **b.** bisogna cambiare treno a Bologna

2. Alla biglietteria Claudio compra
   - ☐ **a.** il supplemento Intercity per Bologna
   - ☐ **b.** il biglietto per Firenze

CD 2 t. 3

1d Riascolta il secondo dialogo. Quali località della Toscana sono nominate? Indicale con una croce nell'elenco a fianco della cartina.

☐ Lucca   ☐ Vinci

☐ Volterra   ☐ Livorno

☐ Empoli   ☐ San Gimignano

☐ Pisa   ☐ Viareggio

☐ Fiesole   ☐ Pistoia

☐ Certaldo   ☐ San Miniato

1e Vero o falso?

	V	F
1. In estate Claudio ha lavorato.	☐	☐
2. Gli amici di Claudio vivono vicino a Firenze.	☐	☐
3. Claudio non ha mai visto Firenze.	☐	☐
4. Gli amici di Claudio non hanno la macchina.	☐	☐
5. Leo va spesso in vacanza in Toscana.	☐	☐
6. I genitori di Leo hanno una casa al mare.	☐	☐
7. Leo vorrebbe andare in vacanza in Australia.	☐	☐

E1 →

Le vacanze degli italiani

2a Rispondi al questionario che un istituto di ricerca ha preparato per sapere che cosa hanno fatto gli italiani durante le vacanze. Poi confrontati con un compagno e provate a prevedere per ogni domanda qual è la risposta che gli italiani hanno scelto di più.

1. Dove hai passato le vacanze quest'anno?
☐ nel mio Paese
☐ all'estero

2. Con chi?
☐ con la mia famiglia
☐ con il mio/la mia partner
☐ con un amico/un'amica
☐ con un gruppo di amici
☐ altro: _____

3. Dove sei andato/a?
☐ al mare
☐ in montagna
☐ in campagna
☐ in una città d'arte
☐ altro: _____

4. Con quale mezzo di trasporto?
☐ in automobile
☐ in aereo
☐ in treno
☐ altro: _____

5. Dove hai alloggiato?
☐ in albergo
☐ in un villaggio turistico
☐ in campeggio
☐ in un agriturismo
☐ in un *bed and breakfast*
☐ in casa di amici
☐ altro: _____

6. Perché hai scelto questo posto?
☐ per abitudine
☐ per la bellezza dei luoghi
☐ per l'interesse storico-artistico
☐ perché ci sono tante cose da fare
☐ altro: _____

7. Che cosa ti piace fare nelle vacanze?
☐ visitare posti nuovi
☐ riposare
☐ conoscere nuove persone
☐ avere tempo libero per divertirsi
☐ altro: _____

per capire

2ᵇ **Ora leggi che cosa hanno risposto gli italiani intervistati e completa il riassunto del testo con gli elementi che mancano.**

La foto degli italiani in vacanza

Dove, come e con chi: quest'anno abbiamo scelto così

È il 10 agosto. In tenda o in casa di amici, in villaggio o in albergo, quasi tutti gli italiani sono ormai in ferie. Secondo il sondaggio della Doxa, che ha realizzato 300 interviste telefoniche, il 58 per cento degli italiani è rimasto in Italia, mentre il 14% ha scelto un Paese europeo e solo il 5 è andato più lontano.

Tra gli europei, gli italiani sono i più "mammoni", e guidano la classifica di quelli che amano andare in vacanza con la famiglia.

Per quanto riguarda il costo delle vacanze, la metà dei vacanzieri italiani ha previsto di spendere come la scorsa estate, mentre il 28% spenderà di più.

Ma per andare dove? Quest'anno 76 italiani su cento hanno scelto il mare, 15 la montagna, 5 una città d'arte e solo 2 su 100 la campagna. E con quale mezzo di trasporto? Non c'è dubbio, l'auto stravince con il 58% degli italiani, mentre il 18% ha preso l'aereo e solo il 7% il treno.

Tra i criteri di scelta della località, sempre secondo il sondaggio Doxa, l'abitudine è al secondo posto (14,5%): "Mi piace andare lì perché ci sono sempre andato, conosco i posti, la gente…". L'italiano in vacanza vuole sentirsi un po' a casa. Al primo posto, però, ci sono la bellezza dei luoghi e la qualità dell'ambiente (16,2%). E la storia, la cultura? Solo al quarto posto.

Ma cosa piace fare agli italiani in vacanza? Sicuramente riposare (38%), ma anche visitare posti nuovi e scoprire nuove culture (28%), divertirsi e stare con gli amici.

(da "Famiglia cristiana", n. 33/2003)

Secondo l'indagine Doxa, nel 2003 solo il (1) _____ degli italiani è andato in vacanza in un paese extra-europeo: il 58% è rimasto (2) _____ , il (3) _____ ha viaggiato in Europa. Gli italiani preferiscono andare in vacanza con la famiglia e in genere vanno (4) _____ (76%); il 15% ha scelto (5) _____ e solo il 2% (6) _____ .

Come si spostano? Più della metà usa (7) _____ , il 18% (8) _____ e il 7% il treno.

Per la scelta della destinazione gli italiani considerano soprattutto (9) _____ dei luoghi e dell'ambiente naturale, ma molti (il 14,5%) scelgono per abitudine. Il 38% degli italiani vede le vacanze come un momento per (10) _____ , mentre per altri (il (11) _____) è l'occasione di scoprire posti nuovi.

2ᶜ **Cerca nel testo le espressioni usate per dire:**

1. gli italiani sono <u>in vacanza</u> → _____
2. gli italiani sono <u>legati alla famiglia e alla mamma</u> → _____
3. gli italiani <u>che partono in vacanza</u> → _____
4. l'auto <u>è la prima in classifica</u> → _____

E2 →

Confronto fra culture
Le vacanze

In Italia, molte persone vanno in vacanza nel mese di agosto, al mare, in automobile.
E nel tuo Paese?

● Qual è la stagione preferita per le vacanze?
● Dove si va in vacanza?
● Qual è il mezzo di trasporto più usato?
● Quanto durano di solito le vacanze?

I mesi e le stagioni

cadere → tofall
la pioggia
io mio compleanno

1a **Riordina i nomi dei mesi dell'anno e associali alle stagioni.**

marzo	agosto	giugno	gennaio
ottobre	aprile	dicembre	febbraio
novembre	maggio	luglio	settembre

primavera	**estate**	**autunno**	**inverno**
Marzo	Giugno	Settembre	Dicembre
Aprile	Luglio	Ottobre	Gennaio
Maggiò	Agosto	Novembre	Febbraio

Io prendo il sole → sio ho presso la mangiè un gelato.

1b **Rispondi.**

- Quando iniziano e finiscono la primavera / l'estate / l'autunno / l'inverno?
- Qual è la tua stagione preferita? Perché?
- In che mese sei nato?
- Quando sei andato in vacanza l'ultima volta?
- Quando inizia e finisce la scuola nel tuo Paese?

Il tempo atmosferico

→ ha piovuto = it has rained.

2a **Com'è il tempo?**

fa caldo

fa freddo

piove

nevica

è nuvoloso/
è brutto

c'è il sole/
è bello

c'è vento

c'è nebbia

In inverno fa freddo,

In estate fa caldo

In primavera c'è il sole

In autunno piove

Com'è oggi il tempo?
Come sono le stagioni nel tuo Paese?

lessico

2ᵇ In coppia. Guardate la cartina dell'Italia e a turno fate delle domande come nell'esempio.

● Com'è il tempo oggi a Torino?
○ C'è il sole.

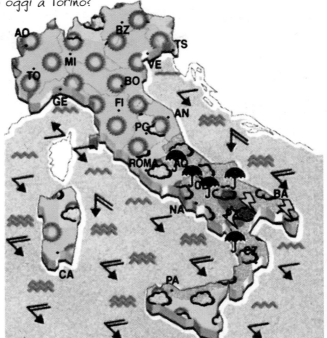

E6 →

Viaggiare

un dia nuuj male.
giornataccia

🔘 CD 2 t.4
3ᵃ Ascolta i dialoghi e completa la tabella.

	destinazione	mezzo di trasporto	durata del viaggio	tempo atmosferico
1.	Bonova in Sicilia	con il traghetto	20h Bis##	c'è il sole
2.	a Monaco con	Aire in aereo	1½h	Brutto
3.	a Roma	in l'aereo	lungo	freddo
4.	in Trentino	in Treno / con il treno	½ giorni / sei ore	è bello

🔄 **3ᵇ Abbina domande e risposte.**

i que ha pasado?

- [b] 1. Come sono andate le vacanze?
- [a] 2. Dove sei stato?
- [f] 3. Come ci sei andato?
- [d] 4. Quanto è durato il viaggio?
- [g] 5. Cosa è successo?
- [i] 6. Con chi sei andato in vacanza?
- [c] 7. Quanto sei stato via?
- [h] 8. Come è stato il tempo?
- [e] 9. Dove avete alloggiato?

a. Al mare, in Sardegna.
b. Abbastanza bene, ma il tempo non è stato molto bello.
c. Tre settimane.
d. Sette ore.
e. In un bellissimo campeggio sul mare.
f. In aereo fino a Vienna e poi in treno.
g. Il treno è partito in ritardo e così abbiamo perso il traghetto. *perdere → perso*
h. Bellissimo, c'è stato il sole tutti i giorni.
i. Con un'amica.

3ᶜ In coppia. Intervistatevi sulle vostre ultime vacanze usando le domande dell'esercizio 3b.

E3, 7 →

In un'agenzia di viaggi

4ᵃ Che cosa fai quando devi organizzare un viaggio?

CD 2 t.5

4ᵇ Ascolta il dialogo e completa gli appunti dell'impiegato dell'agenzia di viaggi.

Agenzia Bluviaggi
via S. Marco, 17 – Monza

Modulo di prenotazione: *Sig.ra* _____

Destinazione: _____

Periodo: _____   N° persone: _____

Tipo di viaggio:

1° **settimana:** *tour della* _____

in _____

sistemazione: pernottamento in _____

2° **settimana:** *soggiorno a Cefalù in* _____

sistemazione: _____

Spostamento: *da* _____

a Palermo in _____

Prezzo: _____

Condizioni particolari: *sconto del* _____   *se prenota con*

_____ *giorni di anticipo.*

4ᶜ Associa le funzioni alle frasi del dialogo.

1. Chiedere al cliente che cosa desidera
2. Dire dove si vuole andare e in che periodo
3. Dare un suggerimento al cliente
4. Proporre una sistemazione
5. Chiedere il prezzo del viaggio

a. Guardi, allora forse potrebbe abbinare una settimana di tour e una settimana di mare.
b. A Cefalù si può stare in albergo, con pensione completa o mezza pensione, oppure in bungalow o in mini-appartamenti sul mare…
c. Buongiorno, mi dica…
d. Mi potrebbe dire quanto costa il pacchetto completo?
e. Vorrei fare un viaggio in Sicilia, a settembre. Mi piacerebbe fare una vacanza al mare…

4ᵈ Completa il fax di prenotazione che la sig.ra Torri ha mandato all'agenzia Bluviaggi. Usa le espressioni contenute nel box.

Gentili signori,
vi scrivo per (1) _____ di un viaggio per 2 persone in Sicilia, dal 13 al 27 settembre, con (2) _____ da Verona. Il viaggio prevede una settimana di tour della Sicilia con (3) _____ a 4 stelle e una settimana di soggiorno a Cefalù (4) _____ .
Provvederò a (5) _____ lunedì 2 agosto.
(6) _____ e porgo distinti saluti,

Lucia Torri

in appartamento
inviare la caparra
sistemazione in alberghi
Vi ringrazio
confermare la prenotazione
partenza in aereo

lessico

4e In agenzia (Role-play). In coppia: uno studente è l'impiegato dell'agenzia di viaggi, l'altro il/la cliente.

Cliente: vuoi passare 15 giorni in Sardegna con la tua famiglia (tuo marito/tua moglie, tuo figlio di 7 mesi e il vostro cane). Cerchi un appartamento vicino al mare dal 10 al 25 agosto. Chiedi informazioni anche per il viaggio (in aereo o in traghetto).

Impiegato: leggi i testi con le informazioni sui trasporti e l'alloggio e rispondi alle domande del cliente.

Sardegna Porto Taverna (SS)
casa ladas

Casa posta sul primo livello rialzato con 1 spaziosa camera da letto con vista mare, angolo cottura, soggiorno con 2 letti a scomparsa, veranda, parcheggio privato e barbecue. In dotazione lavatrice, televisore ed elettrodomestici in cucina.

Comune: Loiri porto S.Paolo
Distanza dalle principali località
-Cagliari km 250
-Porto Torres km 120
-Olbia km 20

Servizi:
-Guardia medica km 10
-Alimentari km 4
-Banca km 4

distanza dal mare 200 m

Sardegna Torre del pozzo(OR)
b&b della torre

Aria di casa in questo b&b a poca distanza dal mare, dalle spiagge e dalla discoteca di questa località che potrebbe essere definita "la piccola Ibiza della Sardegna". Le stanze sono ben curate, la vista è gradevole e la colazione squisita.

distanza dal mare 500 m

OLBIA ✈			
date partenza *(sabato)*	**adulti**	**bambini** 2/12 anni	**infanti** 0/2 anni
7/6-14/6	198,72	159,54	gratis
21/6-28/6-5/7-12/7-19/7	222,72	159,54	gratis
26/7	222,72	181,10	gratis
2/8-16/8	270,72	81,10	gratis
23/8	222,72	59,54	gratis
30/8-6/9	198,72	159,54	gratis

🚢 Genova/Olbia		
13/06/2005	123,00	partenza il venerdì sera alle ore 22.00
20/06/2005	123,00	
27/06/2005	165,00	
04/07/2005	123,00	
11/07/2005	165,00	
18/07/2005	123,00	La tariffa comprende il passaggio ponte per 2 adulti + auto + 1 bambino
25/07/2005	165,00	
01/08/2005	215,50	
08/08/2005	215,50	
15/08/2005	215,50	
22/08/2005	215,50	
29/08/2005	165,00	

I bagagli

5a Leggi il messaggio che Tiziana ha mandato a Stefano 2 giorni prima di partire per un viaggio.

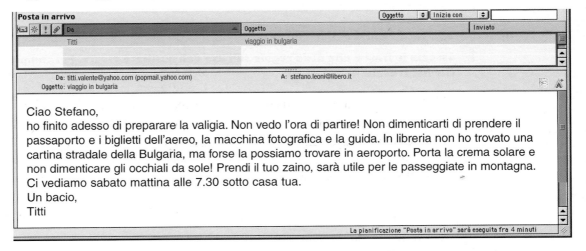

Posta in arrivo

| Oggetto | Inizia con | |

| Da | Oggetto | Inviato |
| Titti | viaggio in bulgaria | |

Da: titti.valente@yahoo.com (popmail.yahoo.com)   A: stefano.leoni@libero.it
Oggetto: viaggio in bulgaria

Ciao Stefano,
ho finito adesso di preparare la valigia. Non vedo l'ora di partire! Non dimenticarti di prendere il passaporto e i biglietti dell'aereo, la macchina fotografica e la guida. In libreria non ho trovato una cartina stradale della Bulgaria, ma forse la possiamo trovare in aeroporto. Porta la crema solare e non dimenticare gli occhiali da sole! Prendi il tuo zaino, sarà utile per le passeggiate in montagna. Ci vediamo sabato mattina alle 7.30 sotto casa tua.
Un bacio,
Titti

La pianificazione "Posta in arrivo" sarà eseguita fra 4 minuti

Che cosa deve portare Stefano?

E nei tuoi bagagli per le vacanze, che cosa non manca mai? Parlane con un compagno.

Il passato prossimo (ausiliari e accordo)

1a **Nathalie è in Canada a studiare l'inglese. Chiara le scrive una lettera per raccontare come lei e gli amici hanno trascorso le vacanze. Leggi la lettera e sottolinea i verbi al passato prossimo. Usa due colori diversi per i verbi coniugati con l'ausiliare avere e per quelli con l'ausiliare essere.**

Cara Nathalie,
come stai? Sei partita solo da due mesi, ma ci manchi già tantissimo!
Com'è la vita in Canada? Hai imparato l'inglese? Ti trovi bene in casa di tua sorella?
E la tua nipotina? Chissà come è diventata grande! Noi stiamo tutti bene, siamo stati in
vacanza ma non siamo riusciti a partire tutti insieme, a parte un fine settimana che
abbiamo passato in campagna a casa di Teo.
Io ad agosto sono rimasta a casa perché è nato Jacopo, il bimbo di mia sorella, ma
la prima settimana di settembre sono andata finalmente a trovare una mia vecchia amica
in Francia, a Toulouse, dove ho abitato per due anni durante l'Università. È stato molto
bello, ho rivisto con piacere la città e alcuni amici. Anche Giorgio è venuto con me.
Cecilia ed Ettore sono andati in Sicilia: hanno preso a noleggio una barca a vela e hanno
fatto il giro delle isole Eolie. È un posto magnifico, si sono divertiti moltissimo.
Ormai siamo tornati tutti al lavoro, ma aspettiamo con ansia le vacanze di Natale,
perché abbiamo organizzato un viaggio in Marocco, questa volta tutti insieme. Magari
potresti venire anche tu, se torni all'inizio di dicembre!
Ti mando un saluto da parte di Paola, Silvia ed Ettore. Scrivi presto, aspettiamo tue notizie!

Un abbraccio,

Chiara

1b **Con quali verbi si usa l'ausiliare avere?**

Cecilia ed Ettore hanno fatto (**che cosa?**) il giro delle isole Eolie.

1c **Associa le frasi a una delle regole sull'uso dell'ausiliare essere. Poi completa con gli esempi che hai trovato nella lettera.**

[a] 1. Sei partita solo da due mesi.

[ ] 2. E la tua nipotina? Chissà com'è diventata grande!

[ ] 3. Io ad agosto sono rimasta a casa.

[ ] 4. È un posto magnifico, si sono divertiti moltissimo.

L'ausiliare *essere* si usa con:

a. i verbi di movimento → partire, _____

b. i verbi riflessivi → _____

c. i verbi che indicano un cambiamento → _____

d. i verbi di stato → _____

1d **Osserva in queste frasi il participio passato.**

Nathalie **è partita** da due mesi. **Ha imparato** l'inglese.

Cecilia ed Ettore **sono andati** in Sicilia, **hanno preso** a noleggio una barca a vela.

Con l'ausiliare avere il participio passato è invariato. Con che cosa si accorda quando c'è l'ausiliare essere?

Giorgio è andat**o**
Cecilia è andat**a**   al mare.
Giorgio ed Ettore sono andat**i**
Cecilia e Nathalie sono andat**e**

1e Ti ricordi come si forma il participio passato?

-are (es. andare) → _____

-ere (es. sapere) → _____

-ire (es. partire) → _____

Alcuni participi passati sono irregolari. Trova nel testo il participio passato di questi verbi.

essere   rimanere   nascere   venire   prendere   fare

_____ _____ _____ _____ _____ _____

1f Completa con l'ausiliare essere o avere e la desinenza del participio.

1. ● Cosa (voi) _____ fatt__ domenica?
   ○ (noi) _____ andat__ a sciare all'Abetone.
2. ● Ciao, Cristina! Da quanto tempo non ti vedo! _____ stat__ al mare?
   ○ Sì, _____ partit__ all'inizio di luglio e _____ tornat__ ieri.
3. ● Ieri a Milano (io) _____ incontrat__ Anna che mi (lei) _____ portat__ a vedere una mostra di Giacometti.
   ○ Ti _____ piaciut__ ?
   ● Sì, molto.

4. ● Che faccia! Cosa ti _____ success__ ?
   ○ Mi (loro) _____ rubat__ il portafoglio. Dentro avevo 300 euro e tutti i documenti.
5. ● Perché Mara e Federica non _____ venut__ in montagna ieri?
   ○ Si _____ alzat__ tardi e _____ pers__ il pullman.
6. ● Quando (tu) _____ nat__ ?
   ○ _____ nat__ il 10 aprile.

1g Che cosa è successo a Maria? Guarda le vignette e racconta. Immagina il finale.

1h Racconta a un compagno il più bel viaggio che hai fatto.

Gli avverbi già/ancora e sempre/mai

2ª Osserva le frasi seguenti.

1. Sono **già** stata nel sud del Marocco due anni fa.
2. Non sono **ancora** andata in vacanza, parto la prossima settimana.
3. Sono **sempre** andata in vacanza nel mese di luglio.
4. Non ho **mai** visitato Firenze.

Dove si trovano gli avverbi già, ancora, sempre, mai?

Tra l' _____

e il _____

2ᵇ Completa le frasi con il verbo al passato prossimo e l'avverbio appropriato. Fai attenzione all'accordo del participio passato.

(*andare*-io) _____ in vacanza ad agosto.
→ Sono sempre andata in vacanza ad agosto.

1. Parto tra due ore ma non (*preparare*-io) _____ la valigia.
2. Gisella (*andare*) _____ al mare in Liguria perché i suoi genitori hanno una casa a San Remo.
3. Non (*fare*-io) _____ una vacanza in moto perché ho troppa paura.
4. Il prossimo fine settimana vorremmo andare a Roma dai miei, ma (*prenotare*-noi) _____ l'aereo, speriamo di trovare posto.
5. Vado in vacanza in Sicilia: (*comprare*) _____ i biglietti per il traghetto, ma (*trovare*) _____ un albergo.
6. Ai miei genitori piacerebbe molto andare a Palermo: non (*stare*-loro) _____ in Sicilia.

2ᶜ In coppia. Pensate ai luoghi dove siete andati in vacanza. Chiedete al vostro compagno se li conosce, se ci è già stato o se non c'è mai stato.

- Sei già stato a Roma?
- ○ Sì, ci sono già stato.
- ○ No, non ci sono mai stato.

> **ci** = a Roma

 E11 →

Il si impersonale

3ª Sottolinea nel dialogo il pronome si e il verbo che lo segue. Poi rispondi alle domande.

- Com'è organizzato il tour in Sicilia?
- ○ <u>Si fanno</u> due giorni a Palermo, uno ad Agrigento, uno a Siracusa e tre a Taormina. Il tour è in pullman, ma per lo spostamento in Sicilia si possono scegliere diverse combinazioni: aereo, traghetto o anche in pullman da Milano. Si parte e si rientra di sabato, ogni 15 giorni.

Il pronome si ha la funzione di un soggetto impersonale. Che cosa significa in questi esempi?

A quale persona sono i verbi che seguono il pronome si?

grammatica

Osserva gli esempi sotto. A che cosa si deve fare attenzione per scegliere se mettere il verbo al plurale o al singolare?

La mattina <u>si</u> <u>visita</u> il Colosseo.   Il pomeriggio <u>si</u> <u>visitano</u> i Musei Vaticani.

3ᵇ **Che cosa si fa in vacanza? Forma delle frasi con il si impersonale usando queste espressioni.**

fare lunghe camminate	andare in barca	raccogliere conchiglie
andare a cavallo	prendere il sole	passeggiare sulla spiaggia
andare in bicicletta	nuotare	visitare i musei
pescare	andare in piscina	sciare

al mare   *si nuota,* _____

in montagna _____

in città _____

E 14, 15 ➡

Le preposizioni di luogo

Vado **in** America. Vivo **negli** Stati Uniti, ma vengo **da** Perugia, **in** Umbria.

Parto **per** la Francia, vado **a** Parigi a studiare il francese.

Torno **dalle** vacanze: sono stato **in** Australia, **a** Sydney.

4ᵃ **Osserva i fumetti e completa la regola scegliendo tra città, regioni, nazioni e continenti.**

Per indicare la destinazione (dove vado) o il luogo dove sono (p. es. dove vivo) si usano le preposizioni:	
in con i nomi di *nazioni,* _____ e _____ ⓘ La preposizione **in** è articolata con i nomi di nazioni al plurale.	Esempi
a con i nomi di _____ ⓘ Con il verbo **partire** per indicare la destinazione si usa la preposizione **per**.	

Per indicare la provenienza (da dove vengo) si usa la preposizione:	
da ⓘ La preposizione **da** è articolata quando è seguita da nomi di continenti, nazioni e regioni.	Esempi

4b Scegli la preposizione corretta.

- Pronto! Ciao Roberta, sono Matilde.
- Ciao, come stai? Sei (1) *in / a / nell'* Italia?
- Sì, sono tornata (2) *di / dalla / alla* Francia due giorni fa. Sono stata (3) *a / in / di* Marsiglia per una fiera e la prossima settimana parto (4) *a / da / per* Boston.
- Vai di nuovo (5) *all' / in / nell'* America? E quando ci vediamo? Che ne diresti di venire (6) *per / da / a* casa mia in campagna, sabato pomeriggio? Ho invitato anche altri amici, festeggiamo il compleanno di Delia.
- Mi sembra un'ottima idea, allora ci vediamo (7) *in / da / a* Frascati.

4c Completa con le preposizioni per, a, in, da (semplici o articolate).

Ieri sul treno per Roma ho incontrato un ragazzo giapponese molto simpatico, un vero viaggiatore. Viene (1) _____ Tokio, ma la sua famiglia vive da molto tempo (2) _____ Boston, (3) _____ Stati Uniti. Lui però ha studiato (4) _____ Europa; adesso è architetto e vive (5) _____ Stoccolma, (6) _____ Svezia. L'anno scorso è venuto (7) _____ Firenze per lavoro e ha conosciuto la sua ragazza, Milena, che vive vicino (8) _____ Milano. Così vorrebbe venire a vivere (9) _____ Italia, per non essere troppo lontano dalla sua ragazza, ma non è facile trovare un nuovo lavoro.

E16 →

I pronomi diretti (3ª persona)

CD 2 t.6

5a Ascolta il dialogo e completa. Che cosa cerca Maria?

1. È qui, **la** metto nella tua borsa! → _____
2. **Le** hai messe nello zaino. → _____
3. Eh no che non **lo** trovi, l'ho già portato in macchina. → _____
4. **Li** hai sul naso! → _____

5b Completa la tabella con i pronomi diretti di 3ª persona.

	maschile	femminile
SINGOLARE		
PLURALE		

Dove sono i pronomi? Prima o dopo il verbo?

personas ← *cosus*

5c Chi? o Che cosa? Fai la domanda che serve per capire a che cosa si riferisce il pronome usato.

- **Lo** porto domani a Raffaella.
- *Che cosa* ?
- Il libro di Baricco.

1.
   - **Lo** vedo oggi alle due per un caffè.
   - *Chi* ?
   - Paolo, il mio collega.

2.
   - **Le** ho messe nella valigia nera.
   - *Che cosa* ?
   - Le medicine.

3.
   - **La** trovi in ufficio dopo le dieci.
   - *Chi* ?
   - La signora Pozzi, la segretaria.

4.
   - **Li** metto nella mia borsetta.
   - *Che cosa* ?
   - I passaporti.

grammatica

5d **Adesso trova tu una risposta. Fai attenzione al pronome usato.**

che cosa
che cosa
che cosa
chi
che cosa

		chi?/che cosa?
1.	È buona, vero? **La** prepara sempre Guido.	la torta
2.	**Lo** capisco, ma non lo parlo molto bene.	l'italiano
3.	**Le** dimentico sempre sul tavolo.	le chiavi
4.	**Li** incontro per le scale, ma non so come si chiamano.	i vicini
5.	**La** guardo qualche volta, quando c'è un bel film.	la televisione

I pronomi diretti servono per sostituire un complemento oggetto diretto. Si usano quindi con i verbi TRANSITIVI, cioè i verbi che possono avere il complemento oggetto (chi? che cosa?).

5e **Completa con i pronomi diretti.**

1. Non abbiamo la guida della Sicilia, _la_ compri tu domani?
2. Per andare a Signa c'è un pullman dalla stazione, _lo_ prendo tutti i giorni.
3. Le isole Eolie sono splendide, _le_ conosci?
4. L'aereo parte tra 20 minuti e Silvia e Gianni non sono ancora arrivati. _li_ puoi chiamare, per favore?
5. Non abbiamo l'ombrellone, _lo_ noleggiamo in spiaggia.
6. Le valigie sono pronte, _le_ metto in macchina?
7. I passaporti sono pronti, _li_ ritiro io oggi pomeriggio.
8. Gianna arriva oggi dagli Stati Uniti, _la_ vado a prendere in aeroporto.

5f **Con un gruppo di amici stai per partire per le vacanze in campeggio all'estero. Vi siete divisi le cose da fare in questo modo.**

	tavolo	pentole	piatti	fornello	sedie	crema solare	medicine	chitarra	campeggio	soldi
io		X				X				
Massimo			X				X		X	
Tiziana	X							X		
Michela				X	X					X

1. Chi prende il tavolo? **Lo** prende Tiziana.
2. Chi ha le pentole? Le ho io.
3. Chi porta i piatti? Li porta Massimo.
4. Chi prende il fornello? Lo prende Michela.
5. Chi ha delle sedie a sdraio? Le ha Michela.
6. Chi compra la crema solare? La compra io.
7. Chi prepara le medicine? Le prepara Massimo.
8. Chi suona la chitarra? La suona Tiziana.
9. Chi prenota il campeggio? Lo prenota Massimo.
10. Chi cambia i soldi? Li cambia Michela.

E12, 13 →

Il suono [ʃ] (pe**sc**e, cu**sc**ino)

CD 2 t.7

1a Ascolta il dialogo e fai attenzione alle lettere sottolineate che si pronunciano con il suono [ʃ] come in **sc**endere.

● Siete andati a **sc**iare, ieri?

○ Sì, mi hanno regalato una paio di **sc**i nuovi e non vedevo l'ora di provarli. È stata una bella giornata, anche se la neve era molto ghiacciata ed era difficile **sc**endere senza **sc**ivolare!

CD 2 t.8

1b Ascolta e indica con una X in quali parole senti il suono [ʃ] come in **sc**endere.

	1.	2.	3.	4.	5.	6.	7.	8.	9.	10.	11.	12.	13.	14.	15.	16.
[ʃ]		X				X	X		X	X						

CD 2 t.9

1c Ascolta queste coppie di parole senza senso. In una c'è il suono [tʃ], come in **bacio**, nell'altra c'è il suono [ʃ] come in **lascio**. Indica con una X quale hai ascoltato per prima.

	1.	2.	3.	4.	5.	6.	7.	8.	9.	10.
[ʃ]										
[tʃ]										

Pronuncia e ortografia

CD 2 t.10

2a Ascolta e leggi questo dialogo. Sottolinea le lettere sc + la lettera che segue (**Sc**atola). Poi completa la regola.

● Eh, no, domani io parto, me ne vado al mare, in Sicilia, a Sciacca!

○ Al mare? D'inverno? Non dire sciocchezze! D'inverno si va in montagna, sulla neve, a sciare!

● Scherzi? Detesto il freddo e la neve, e lo sci lo lascio a voi. Io vado a scaldarmi al sole, a mangiare il pesce e a scoprire le bellezze del Sud! Non sarà l'estate, ma qui l'inverno non finisce più, mentre laggiù è gia primavera!

○ Hai ragione, il tempo qui fa schifo. Verrei volentieri anch'io al mare, ma purtroppo devo andare a scuola, le prossime vacanze sono a Pasqua!

Le lettere SC si leggono [ʃ] quando sono seguite dalle vocali _____ e _____ .

Le lettere SC si leggono [sk] quando sono seguite dalle vocali _____ , _____ , _____ o dalle lettere HI e HE.

CD 2 t.11

2b Ascolta e scegli l'ortografia corretta.

1. Metti la *schiarpa / sciarpa*, fa freddo!
2. Ahi, ho *schiacciato / sciacciato* il dito nella porta delle *schale / scale*!
3. Ho visto un bellissimo musical, ieri a teatro. Sulla *schena / scena* c'erano trenta attori.
4. Mia cugina vive in campagna, in una *caschina / cascina* vicino a *Brescia / Bresca*.
5. Bambini, appena *finisce / finise* il film, prendete lo *schiroppo / sciroppo* e andate a letto.
6. Non sono partito per Monaco perché c'è uno *schiopero / sciopero* dei piloti.

E 19, 20, 21 →

produzione libera

1 Gioco. Viaggio in Italia.

Dividete la classe in 2 squadre (o in 2 gruppi con 2 squadre ciascuno).
Ogni squadra deve avere una cartina dell'Italia.
Ciascun gruppo parte da Roma per un viaggio in Italia con una destinazione misteriosa.
Il viaggio è diviso in 7 tappe e a ogni tappa si deve svolgere un compito. Seguite le istruzioni
dell'insegnante.

2 Alla stazione.

In coppia. Lo studente A chiede informazioni allo sportello della stazione sui treni che partono
da Roma per Siena nel pomeriggio.

A: vuoi sapere gli orari di partenza e arrivo, se i treni sono diretti o c'è una coincidenza, qual è
il percorso più rapido, su quali treni si paga il supplemento. Poi scegli un treno e compra il
biglietto.

B: rispondi alle domande guardando l'orario.

Stazione di partenza: Roma			Stazione di arrivo: Siena		Prezzo €16,25	
Info	**Partenza**	**Arrivo**	**Stazione di Cambio**		**Treni**	**Durata**
			Stazione	**Arrivo**		
1.	15:14 **ROMA**	18:34	**CHIUSI**	17:01	R R	03:20
2.	15:46 **ROMA**	19:33	**GROSSETO**	17:27	IC R	03:47
3.	16:47 **ROMA**	19:50	**CHIUSI**	18:09	IC R	03:03
4.	18:00 **ROMA**	20:40	**CHIUSI**	19:10	ES*	02:40

R = treno regionale   IC = treno InterCity con supplemento

ES* = treno Eurostar con prenotazione obbligatoria

3 Viaggio premio.

A gruppi di 3. Avete partecipato a un concorso a premi e avete vinto un viaggio di 8 giorni in
Italia. Il premio comprende:

- volo A/R per Bologna
- vouchers per alberghi Italiabella
- noleggio auto per 7 giorni

Organizzate il vostro viaggio: decidete il periodo dell'anno che preferite e stabilite quali città
volete vedere e che cosa volete visitare. Scrivete un breve programma. Poi dividetevi e
raccontate il vostro progetto di vacanza a un compagno di un altro gruppo.

4 Una vacanza da sogno.

Finalmente hai fatto
la vacanza dei tuoi
sogni! Raccontala in
una lettera a un
amico (dove?
quando? con chi?).

Funzioni

chiedere informazioni sui mezzi di trasporto	
chiedere se c'è un mezzo	(Mi sa dire se) c'è un treno/un volo per Cagliari?
chiedere a che ora parte/arriva	A che ora parte il treno/la coincidenza per Firenze?
	A che ora arriva il treno a Torino/il treno da Roma?

parlare delle vacanze		
chiedere/dire dove si è andati	Dove sei stato in vacanza?	Sono andato/stato a Cefalù.
chiedere/dare informazioni sul viaggio (mezzi di trasporto, durata, alloggio)	Come siete andati in Sardegna? Quanto è durato il viaggio? Dove avete dormito/alloggiato? Siete stati in albergo?	In traghetto/in macchina/in aereo. Circa sei ore. Siamo stati in albergo/in campeggio/in agriturismo. No, abbiamo affittato un appartamento.
chiedere/dire come è andata la vacanza	Come sono andate le vacanze? Come è andato il viaggio?	Non molto bene/Bene/Benissimo.
chiedere/dire quanto è durata la vacanza	Quanto sei stato via?	Una settimana.
dire dove si vorrebbe andare	Vorrei andare in Egitto.	
dare suggerimenti	Potreste andare in Liguria.	

parlare del tempo atmosferico		
chiedere/dire com'è il tempo	Com'è il tempo a Firenze?	È bello/brutto. Fa caldo/freddo. Nevica/Piove. C'è vento/c'è nebbia.

Grammatica

Passato prossimo: avere o essere?

La scelta dell'**ausiliare** dipende dal verbo.

AVERE con i **verbi transitivi**, cioè i verbi che possono essere seguiti da un complemento oggetto

- Ho incontrato (**chi?**) Paola.
- Ho perso (**che cosa?**) le chiavi.

ESSERE con quasi tutti i **verbi intransitivi**, cioè i verbi che sono seguiti da un complemento indiretto (es.: a chi? dove? quando?). In particolare:

• i verbi **riflessivi** es.: *divertirsi, vestirsi, annoiarsi, conoscersi*	Ieri ci siamo divertiti molto.
• i verbi che indicano un **cambiamento** es.: *nascere, morire, crescere, diventare, ingrassare, dimagrire*	Sono nato il 10 agosto.
• i verbi che indicano **stato in luogo** es.: *essere, stare, rimanere, restare*	Giusy è rimasta al mare 3 giorni.
• i verbi **impersonali** es.: *piacere, succedere, durare*	Il film mi è piaciuto molto.
• i verbi di **movimento** es.: *andare, venire, partire, tornare, entrare, uscire, scendere, salire*	Sabato sono uscito con Silvia.
Con alcuni verbi di movimento si usa **avere**: *ballare, sciare, nuotare, passeggiare, camminare, viaggiare.*	Abbiamo camminato tutto il giorno.

sintesi

Alcuni participi irregolari

aprire	→	aperto	leggere	→	letto	*degi-*
chiedere	→	chiesto	mettere	→	messo	scegliere → scelto
chiudere	→	chiuso	nascere	→	nato	scrivere → scritto
decidere	→	deciso	perdere	→	perso	vedere → visto
dire	→	detto	prendere	→	preso	venire → venuto
dividere	→	diviso	rimanere	→	rimasto	vincere → vinto
essere	→	stato	rispondere	→	risposto	vivere → vissuto
fare	→	fatto	scendere	→	sceso	

 I verbi *essere* e *stare* hanno lo stesso participio.

Alcuni avverbi: mai/sempre e già/ancora

Con il passato prossimo gli avverbi *mai, sempre, già, ancora* si trovano tra l'ausiliare e il participio passato.

- Non ho **mai** visto Roma.
- Sono **già** stato in vacanza.

- Sono **sempre** andata in vacanza in Toscana.
- Non ho **ancora** preparato la valigia.

Il **si** impersonale

Il pronome *si* ha la funzione di soggetto impersonale e ha il significato di *la gente, tutti*:

- In Brasile si parla portoghese.
- A Capodanno si fanno i fuochi d'artificio.

si + verbo alla 3ª persona SINGOLARE se l'oggetto è SINGOLARE	La mattina **si visita** il museo d'arte moderna.
si + verbo alla 3ª persona PLURALE se l'oggetto è PLURALE	Il pomeriggio **si visitano** i Musei Vaticani.

Le preposizioni di luogo

a	con nomi di città e isole piccole	Vivo **a** Viterbo, vicino a Roma.
in	con nomi di continenti, nazioni, regioni e isole grandi; è articolata con i nomi al plurale	Vado/vivo **in** Europa, **in** Italia, **nelle** Marche. Vive **negli** Stati Uniti.
di	con nomi di città e paesi per indicare il luogo di origine	Sono **di** Barcellona (= vengo da Barcellona)
da	– per indicare la provenienza Con i nomi di città la preposizione *da* è semplice; è invece articolata con i nomi di continenti, nazioni e regioni. – con nomi o pronomi di persona = *a casa di* …	Vengo **dalla** Germania, **da** Monaco. Arriva **dall'**Asia. Vieni a cena **da** me/**da** Antonio.
per	con il verbo *partire* per indicare la destinazione	Domani parto **per** Roma.

I pronomi diretti

U8 → pag. 152

7 unità
Le serve altro?

In questa unità impari a interagire in un negozio di alimentari e di abbigliamento e a descrivere come è vestita una persona.

per cominciare

● **Ecco il nome di alcuni negozi, ne conosci altri?**

un negozio di abbigliamento

NEGOZI

una pasticceria

un supermercato

una panetteria

● **Dove fai di solito gli acquisti?**
In che occasioni fai regali?
Dove compri i regali di Natale?

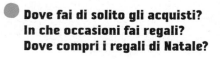

per capire

Posso aiutarLa?

CD 2 t.12

1ᵃ **È il 23 dicembre. Alcune persone fanno gli ultimi acquisti. Matteo entra in un negozio: ascolta il dialogo e scegli la risposta giusta.**

☐ **fruttivendolo**

☐ **macelleria**

☐ **alimentari**

1. In quale negozio si trova Matteo? Scegli tra i negozi disegnati.

2. Matteo ha bisogno di alcune cose per
   ☐ a. la cena di Natale
   ☐ b. il pranzo di Natale
   ☐ c. il cenone di Capodanno

3. Matteo deve cucinare per
   ☐ a. circa 5 persone
   ☐ b. circa 10 persone   *una dicina?*
   ☐ c. circa 20 persone

4. Indica 3 cose che Matteo compra.

   _____

   _____

   _____

5. Matteo prende
   ☐ a. un etto di prosciutto crudo
   ☐ b. un chilo di prosciutto crudo
   ☐ c. 300 grammi di prosciutto crudo

6. Il negozio chiude alle
   ☐ a. 18.30
   ☐ b. 19.30
   ☐ c. 20.30

*il micinata
→ picada*

CD 2 t. 13

1ᵇ Ascolta il dialogo di Anna e completa l'esercizio.

1. Che cosa vuole comprare Anna?
   - ☐ a. delle scarpe nuove
   - ☐ b. delle borse nuove
   - ☐ c. dei vestiti nuovi

2. Per quale occasione le servono?
   - ☐ a. per il 6 gennaio
   - ☐ b. per il 24 dicembre
   - ☐ c. per il 31 dicembre

3. Indica che cosa compra Anna.

4. Completa il cartellino dei pantaloni di Anna con la taglia giusta e il prezzo.

Taglia _____

€ _____

5. La commessa consiglia ad Anna degli accessori. Quali?

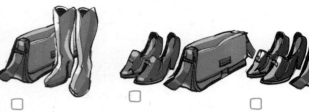

6. Se Anna vuole cambiare i capi di abbigliamento, deve conservare
   - ☐ a. lo scontrino
   - ☐ b. il cartellino
   - ☐ c. l'etichetta

2ᵃ Osserva le immagini e discuti con un compagno. Quali rappresentano le tradizioni di Natale in Italia?

per capire

2b Leggi il testo per verificare le tue ipotesi. Poi svolgi le attività che seguono.

Ma quanti regali hi-tech sotto l'albero

Secondo un'indagine, sotto i circa 11 milioni di abeti natalizi gli italiani troveranno circa 700 miliardi di regali.

ROMA, 2 DICEMBRE 2004 - Il Natale è alle porte, le scuole chiudono, arriva la neve, si festeggia Capodanno. E naturalmente ci sono i regali.
Secondo un'indagine, sotto i circa 11 milioni di alberi si prevede un lieve <u>calo</u> delle spese (- 0,7%). Questa è la previsione sugli acquisti natalizi, quando gli italiani devono decidere come spendere le loro tredicesime*.
Ma veniamo ai regali. Sotto l'albero le parole d'ordine quest'anno sono "tecnologia" e "cultura", i regali più scelti sono infatti hi-tech: ai primi tre posti si confermano informatica, videoregistratori e DVD, e piccoli elettrodomestici; libri e giornali sono invece al quinto posto, subito dopo i prodotti di profumeria; al settimo posto la spesa per i giocattoli, che è in calo. Gli italiani sembrano inve-

<u>calo</u>
↓

ce meno interessati ai beni primari, gli alimentari sono all'ottavo posto, mentre abbigliamento e calzature al sesto con le famiglie che preferiscono aspettare la stagione dei saldi.
E come passano questo Natale gli italiani? La risposta è più che mai legata alla tradizione: tutti in famiglia. Solo 1 su 8 sarà lontano da casa. Uno su 4 in montagna e in città d'arte, più di 2 su 4 dai parenti e solo l'8% all'estero.
"Cenone" di Capodanno secondo la tradizione a base soprattutto di pesce, poca carne (soprattutto zampone e cotechino), tanta frutta e verdura. Per il brindisi litri di spumante, mentre cala lo champagne a favore di vini rossi di buona qualità. Per quanto riguarda i dolci non mancherà il panettone, mentre è in aumento la spesa per il cioccolato e in diminuzione quella per il tradizionale torrone.
Alla messa di Natale parteciperanno in tanti. 1 su 3 a quella della mezzanotte, 1 su 2 il giorno di Natale e 1 su 3 alla televisione. Il 50% delle famiglie italiane associa gli abeti al Natale, questi ultimi sono più presenti al Nord, mentre i presepi sono più diffusi al Sud.

* Uno stipendio in più.

(adattato da http://www.yahoo.it)

2c Completa la classifica dei regali natalizi degli italiani.

(1°) primo posto   Informatica

(2°) secondo posto _____

(3°) terzo posto _____

(4°) quarto posto _____

(5°) quinto posto _____

(6°) sesto posto _____

(7°) settimo posto _____

(8°) ottavo posto _____

2d Completa queste frasi con **più** o **meno**.

1. Quest'anno per le spese di Natale gli italiani spenderanno _____ soldi.

2. Quest'anno gli italiani regaleranno _____ giocattoli dell'anno scorso.

3. Quest'anno gli italiani compreranno _____ videoregistratori che libri.

4. _____ del 50% degli italiani sarà lontano da casa per il Natale.

5. Quest'anno gli italiani spenderanno _____ soldi per il cioccolato.

6. Al Nord ci sono _____ presepi che al Sud.

Confronto fra culture
Natale e Capodanno

● Natale in Italia è la festa più importante dell'anno. Anche nel tuo Paese? Se sì, quali sono le tradizioni del Natale nel tuo Paese? Con chi e come si passa? Cosa si mangia di tipico? Che regali si fanno?

● Nel tuo Paese si festeggia la fine dell'anno? Se sì, quando? Ci sono tradizioni particolari?

 E1 (17,18)

I negozi e i negozianti

🔘 **CD**2 t.14

1ᵃ Ascolta i dialoghi e metti nell'ordine giusto quello che le persone comprano.

☐   ☐   ☐   ☐   ☐

1ᵇ Abbina le frasi ai nomi dei negozi.

tabaccheria/cartoleria
libreria   panetteria
supermercato   pasticceria

1. Se devo comprare dei pasticcini, vado **in** *pasticceria*
2. Se devo comprare delle focacce, vado **in** *panetteria*
3. Se devo comprare dei quaderni, vado **in** *tabaccheria*
4. Se devo comprare un libro, vado **in** *libreria*
5. Se devo fare la spesa, vado **al** *supermercato*

cartoleria/tabaccheria

🛈 *in* + **negozio (in tabaccheria)**
da + (+ articolo) **negoziante (dal tabaccaio)**

1ᶜ Da chi devo andare se ho bisogno di queste cose?

Se ho bisogno di	Devo andare dal
☐ 1. un chilo di carne di vitello	a. parrucchiere
☐ 2. un etto di mortadella	b. panettiere/fornaio
☐ 3. un po' di insalata	c. fruttivendolo
☐ 4. una torta	d. macellaio
☐ 5. un po' di pane	e. pasticciere
☐ 6. tagliare i capelli	f. salumiere

E3, 4 →

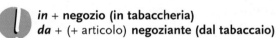

Che cos'altro puoi comprare nei negozi elencati nell'esercizio precedente? E nel tuo Paese?

Confronto fra culture
Gli orari di apertura

● A che ora aprono e chiudono
in Italia i negozi,
i supermercati e i grandi
centri commerciali?

lun/mar/mer
ore 9.00-20.00

gio/ven/sab
ore 8.30-22.00

ore 9.30-12.30
pausa pranzo
ore 15.00-19.30

Comprare

CD 2 t.14

2ᵃ Ascolta i dialoghi e completa con le parole mancanti.

● Buongiorno signora, posso aiutarLa?

○ Sì, grazie. (1) _____ *Va' dove ti porta il cuore* di Susanna Tamaro, ce l'avete?

● Certo, signora, è il mio libro preferito. [...]

● Buongiorno, (2) _____ una carta natalizia per i pacchetti, ne avete ancora?

○ Sì, ma ci è rimasta solo blu e argento. [...]

● Allora (3) _____ due fogli. Ah senta, mi dia anche due pacchetti di sigarette, per favore. [...]

● Buongiorno, (4) _____ due chili di pane.

○ Va bene… Ecco qui, Le serve altro?

● Sì (5) _____ anche del pane all'olio, ne avete ancora?

○ Certo. (6) _____ ?

● Me ne dia un chilo.

○ Altro?

● Sì, avete anche le focacce?

○ Certo signora. (7) _____ ?

● Me ne dia un pezzo di quella al rosmarino, che è buonissima. [...]

● Posso lasciare le bottiglie di acqua nel carrello?

○ Certo, mi dica solo quante sono, per favore. [...] Le servono delle borse?

● Sì, grazie.

○ (8) _____ ?

● Me ne dia tre.

2ᵇ Completa la tabella con le espressioni sotto.

quante?   mi serviva del pane all'olio   quanto ne vuole?   vorrei una carta natalizia
ne voglio 2 fogli   volevo due chili di pane   quante ne vuole?   cercavo un libro

Chiedere qualcosa			
Chiedere la quantità			/
Dire la quantità	/	/	/

E19 →

2ᶜ La spesa di Anna e Matteo. Che cosa comprano Anna e Matteo? Completa le frasi.

1. Una bottiglia di _____
2. Un pezzo di _____
3. Un pacco di _____
4. Una scatola di _____
5. Un barattolo di _____
6. Un etto di _____
7. Un chilo di _____
8. Una dozzina di _____

2^d In coppia. È la vigilia di Natale e vuoi ancora comprare queste cose. Entra nel negozio e fai un acquisto usando le frasi dell'es. 2b. A turno interpreta il cliente o il commesso.

STUDENTE A

uova · miele · latte · zucchero · arance 1 Kg

STUDENTE B

vino · prosciutto 2hg · pasta · formaggio · biscotti

I capi di abbigliamento

3^a Abbina i numeri al nome del capo corrispondente.

- ☐ dei pantaloni *unos pantalones*
- ☐ delle scarpe *unos zapatos*
- ☐ una camicia
- ☐ un cappello *un sembrero*
- ☐ una borsetta *una bolsa*
- ☐ una gonna *una falda*
- ☐ un maglione *un jersey*
- ☐ una maglietta *una camiseta*
- ☐ dei calzini
- ☐ una sciarpa *una bufanda*
- ☐ un cappotto
- ☐ una giacca *una chaqueta*

E5, 6 →

lessico

3b Scegli gli aggettivi giusti per ogni descrizione.

1. Roberta è una cantante d'opera, i suoi vestiti sono molto _economici / costosi / classici_ e _moderni / eleganti / sportivi_. Di solito indossa vestiti _corti / lunghi / pesanti_ e _chiari / scuri / vivaci_.

2. Paolo è un manager e fa molte riunioni, per questo cura molto il suo vestiario. Preferisce i vestiti _eleganti / classici / moderni_, spesso di colore _scuro / chiaro / vivace_.

3. Davide è uno sportivo e adora la montagna. Il suo abbigliamento è minimalista e _costoso / economico / elegante_. Ama l'abbigliamento _classico / moderno / sportivo_: d'inverno porta dei maglioni _leggeri / pesanti / larghi_, d'estate delle magliette _corte / pesanti / leggere_.

E7 →

4. Irene ha sedici anni e ama i vestiti _moderni / sportivi / eleganti_. Le piacciono le magliette _strette / larghe / pesanti_ e _lunghe / corte / costose_ perché vuole sempre che si veda l'ombelico. La mamma pensa che i suoi vestiti siano sempre troppo _pesanti / leggeri / economici_ soprattutto d'inverno.

1. 2. 3. 4.

3c Scegli un compagno e descrivi come è vestito a un terzo compagno, che deve indovinare chi hai descritto.

 Angela ha / porta / indossa _dei pantaloni blu_.

3d Che cosa chiedono?

Senta, **quanto costano** i pantaloni?

Allora, i pantaloni costano 50€.

E20 →

Mi sa dire **quanto costa** la gonna?

La gonna costa 35€.

Scusi, **quanto viene** il top?

Il top in vetrina viene 25€.

Mi sa dire **quanto vengono** le scarpe rosse?

Certo, vengono 60€.

3e In coppia. Guardate la vetrina e decidete cosa comprare. Interpretate a turno il cliente e il commesso.

FOR PEOPLE

I pronomi indiretti (3ª persona)

to whom or for who something is done.

3rd Person
gli, le,
gli, le, Le

1ᵃ Leggi i dialoghi. Sottolinea a chi si riferiscono nel testo i pronomi evidenziati.

1. ● Invece a Lei, signora Anna, serviva qualcosa?
   ○ Sì cercavo qualcosa da mettere per Capodanno.
   ● Le serve qualcosa di elegante?
   ○ Mah, no…, qualcosa per un Cenone da amici.
   ● Che colori Le piacciono?
   ○ A me piace molto il rosso, ma a mio marito non piace, gli piacciono i colori meno forti.

2. ● Le serve altro, signor Matteo?
   ○ Sì, del prosciutto crudo.

3. ● Manca ancora il regalo per Alice, la ragazza di Paolo.
   ○ Già, dobbiamo prendere qualcosa anche a lei.
   ● Perché non le regaliamo un maglione?

4. ● Anna, cosa hai regalato ai tuoi figli per Natale?
   ○ Gli ho regalato cose utili: a Marco un cellulare e a Michela un maglione.

1ᵇ Osserva i pronomi nei dialoghi e completa la tabella.

a lui	→	*gli*	
a lei	→	*le*	
a Lei Signore/Signora	→	*Le*	
a loro	→	*gli*	/loro

 Per il pronome plurale di solito si usa *gli*, ma se si vuole essere formali si usa *loro*.

Ho regalato *ai miei figli* cose utili. →
gli ho regalato cose utili / ho regalato *loro* cose utili.

Dove si trovano i pronomi rispetto al verbo? _____

1ᶜ Abbina le colonne e scegli tra i pronomi Le, le e gli per formare una frase corretta.

Le
le
gli

☐ 1. Signor Mauri, abbiamo questo modello,
☐ 2. A Marco non ho ancora deciso, forse…
☐ 3. Marta ha speso tutti i soldi:
☐ 4. Devo chiamare mia madre, ma
☐ 5. Ai miei genitori regalo un viaggio in Kenya perché
☐ 6. Sergio vuole un paio di scarpe nuove,
☐ 7. Signora Rossi, può provare un'altra taglia se questa
☐ 8. Hai l'indirizzo di Carla?
☐ 9. A Marcella e Giulia piace il cinema, quindi

a. *gli* servono per giocare a tennis.
b. *Le* piace in azzurro?
c. *gli* regalo una sciarpa di lana!
d. *le* telefono quando arrivo a casa.
e. *Le* sembra stretta.
f. *le* voglio mandare un biglietto per Natale.
g. *gli* piace molto viaggiare.
h. *Gli* ho comprato due DVD.
i. *le* è rimasto solo 1 euro nel portafoglio.

E9 →

grammatica

1 Queste persone parlano dei regali che vogliono fare a Natale.
Completa le descrizioni con i pronomi indiretti e poi abbina il regalo alla
persona giusta.

Vamos a ver

1. Dunque, Giulia ha tredici anni e (1) *le* piace tutto ciò che è alla
moda. I suoi genitori (2) ~~gli~~ *le* regaleranno un telefonino cellulare
perché tutte le sue amiche ne hanno uno e lei vorrebbe sempre mandar
(3) *gli* dei messaggini, ma non ha il cellulare. Io invece pensavo
di prender (4) *le* qualcosa di carino e originale, per esempio
(5) *le* piacciono molto tutti gli accessori per l'abbigliamento.

2. Luca ha vent'anni e studia all'università. (6) *Gli* ho chiesto un
consiglio ma mi ha detto "Regalami quello che vuoi!". È molto
impegnato all'università, la zia (7) *gli* ha appena comprato una
stampante nuova per il suo PC che usa spesso. Magari potrei comprar
(8) *gli* qualcosa per il computer.

3. E ai miei genitori? Forse potrei comprar (9) *gli* qualcosa per la
casa. Per mia mamma? (10) *Le* piacciono molto tutti gli articoli
di profumeria, che non (11) *le* bastano mai! E per papà?
(12) *Gli* piace molto lavorare in giardino, ma quando suona il
telefono deve sempre fare le scale di corsa! Ho capito cosa posso regalar
(13) *gli* .

E 10, 12 →

Il pronome partitivo ne

A part/bit of something

2ᵃ Osserva le frasi e completa l'esercizio.

1. ● Buongiorno, volevo del pane all'olio.
   ○ Quanto ne vuole?
   ● Ne voglio un chilo.

2. ● Salve, volevo delle uova. *huevos!*
   ○ Quante ne vuole?

3. ● Giulia, quanta torta vuoi? *tarta!*
   ○ Ne voglio poca, non ho fame. *no tengo hambre*

4. ● Signora Marchi, quanti litri di latte vuole?
   ○ Quanti ne ha?
   ● Ne ho solo tre litri.
   ○ Allora li prendo tutti.
   ← *DO – masc, plu*

ninguna = none.

a. *Ne* quali parole sostituisce nei dialoghi? Cerchia la parola che sostituisce.
b. Sottolinea le espressioni di quantità che seguono il *ne*.
c. In quale posizione si usa *ne*, prima o dopo il verbo? _____
d. Osserva l'ultimo dialogo: perché la Signora Marchi nell'ultima battuta usa *li* e non *ne*?

_____

2ᵇ In coppia. A turno rispondete a queste domande.

1. Quanti panini mangi al giorno?
2. Quanta carne mangi alla settimana?
3. Quanto vino/birra bevi di solito?
4. Quanti cucchiai di zucchero metti di solito nel caffè?
5. Quanti amici hai?
6. Quanti pantaloni hai nel tuo armadio?
7. Quanti giornali leggi al giorno?
8. Quanti regali compri a Natale?
9. Quanta frutta mangi al giorno?
10. Quanti viaggi fai all'anno?

E 11, 13 →

I comparativi

3ᵃ **Leggi il testo che parla di come sono cambiati i prezzi in Italia negli ultimi anni e completa l'esercizio. Poi correggi le affermazioni false, riscrivendole in modo corretto.**

Da noi i maggiori aumenti di Eurolandia

Oggi nel Belpaese è meno facile risparmiare: secondo una recente indagine il 75% degli italiani dice di non essere più in grado di mettere soldi in banca. Gli italiani si sentono più poveri di prima.

In questi ultimi anni i prezzi in Italia sono aumentati più che in altri Paesi europei. Nel 2001 un italiano in Belgio spendeva il 7% in più che in Italia. Oggi invece spende solo il 4,8% in più. Alcuni Paesi come Gran Bretagna, Spagna e Germania, che prima erano più cari dell'Italia, oggi sono meno cari e quindi più competitivi.

Ecco alcuni dei settori che sono stati presi in considerazione. Per il *settore audio* (hi-fi, autoradio, lettori CD) in Gran Bretagna si spende meno che negli altri Paesi europei, mentre in Italia si spende come in Lussemburgo; per quanto riguarda invece il *settore informatico* (per esempio le stampanti) la Francia è il Paese più conveniente, mentre l'Italia è meno economica anche della Gran Bretagna. Nel settore tempo libero la Germania e la Svizzera sono le più convenienti, infatti i CD e i DVD sono meno cari che nel resto dell'Europa.

(adattato da "Altroconsumo", marzo 2004)

	V	F
1. Oggi gli italiani mettono in banca più soldi di prima.	☐	☐
2. I prezzi in Italia sono oggi meno alti che in Europa.	☐	☐
3. Oggi in Gran Bretagna molte cose costano meno che in Italia.	☐	☐
4. Gli hi-fi in Italia costano come in Lussemburgo.	☐	☐
5. In Italia una stampante costa come in Gran Bretagna.	☐	☐
6. Per i DVD la Germania e la Svizzera sono più care dell'Italia.	☐	☐

3ᵇ **Riguarda il testo e l'esercizio e completa la tabella.**

se paragono due cose/persone rispetto a una qualità						
PIÙ	Il salmone	è	più	caro	del	pane
	La mia maglietta	è		corta	....	tua
	Marcello	è		ricco	di	Giulio
	Io	sono		elegante	di	te
MENO	Il pane	è	meno	caro	....	salmone
	Giulio	è		ricco	....	Marcello
COME	La tua maglietta	è	corta	....	la mia	
	Tu	sei	elegante	....	me	

se paragono due nomi preceduti da preposizione					
Il vino	costa	più/meno	in Italia	....	in Belgio

grammatica

3c Ecco cosa succede invece nelle città italiane. Quali sono gli articoli più convenienti nelle diverse città? Completa le frasi aiutandoti con la tabella.

A Genova i lettori DVD sono ___meno___ cari ___degli___ hi-fi.

1. In molte città italiane i lettori CD sono _____ costosi _____ lettori DVD.
2. Napoli è cara _____ Palermo.
3. A Milano i DVD costano _____ i profumi.
4. Le calzature costano _____ a Palermo _____ a Bolzano.
5. I DVD costano _____ a Milano _____ a Bolzano.
6. Bolzano è _____ cara _____ Genova.
7. In media le calzature sono _____ economiche _____ lettori DVD.
8. Milano è _____ cara _____ Torino.
9. A Milano i registratori sono _____ cari _____ mini hi-fi.

Città	AUDIO			VIDEO	SPORT	TEMPO LIBERO		CURA DEL CORPO	INDICE COMPLESSIVO
	lettori CD	mini hi-fi	registra-tori	lettori DVD	calzature	CD	DVD	profumi	
Genova	112	112	119	103	114	120	115	116	104
Milano	117	110	119	105	108	111	107	107	104
Napoli	117	110	119	104	n.d.	115	113	n.d.	105
Palermo	113	111	112	102	122	124	111	112	105
Roma	112	110	114	104	110	121	105	103	105
Torino	117	111	118	107	110	113	110	106	105
Bolzano	113	112	119	109	119	119	130	100	106

L'indice 100 segnala la città più conveniente per quell'articolo. n.d.: non disponibile   adattato da "Altroconsumo" marzo 2004

E14 →

Gli aggettivi e i pronomi possessivi (sintesi)

CD 2 t. 15

4a Ascolta il dialogo e inserisci i possessivi e i nomi mancanti.

● Buongiorno vorrei ritirare (1) _____ (2) _____ (3) _____ invernale.

○ A che nome? [...]

○ Guardi, è questo?

● Sì, questi pantaloni sono (4) _____ (5) _____ , ma quella non è (6) _____ (7) _____ (8) _____ , il colore è simile. [...]

○ Ah, eccola. Guardi, forse è questa. È (9) _____ (10) _____ ?

● Sì, è quella. [...]

4b Completa la tabella e rispondi alle domande.

io	tu	Lei	lui/lei	noi	voi	loro	
il mio	il tuo	il Suo	il suo	il nostro	il vostro	il loro	vestito
la mia	la tua	la Sua	la sua	la nostra	la vostra	la loro	giacca
i miei	i tuoi	i Suoi	i suoi	i nostri	i vostri	i loro	pantaloni
le mie	le tue	le Sue	le sue	le nostre	le vostre	le loro	scarpe

a. Che cosa c'è prima dell'aggettivo possessivo? ___l'articulo___   zapatos

b. A quali persone si riferisce l'aggettivo possessivo "suo"? _____

c. Perché l'aggettivo possessivo di terza persona plurale si differenzia dagli altri aggettivi possessivi? ___Siempre igual___

4c Gli aggettivi possessivi possono essere usati anche come pronomi; leggi il dialogo dell'esercizio 4a e sottolinea in rosso gli aggettivi possessivi e in blu i pronomi.

4d Completa le frasi con le forme corrette degli aggettivi e dei pronomi possessivi.

1. (tu – io) *I tuoi* pantaloni sono più corti dei *miei* e *il tuo* maglione è più lungo del *mio* .

2. (Stefania e Sara – tu) *la loro* camicia è meno leggera della *tua* e *li loro* stivali sono meno alti dei *tuoi*

3. (noi – lui) *le nostre* scarpe sono più strette delle *sue* e *i nostri* cappelli sono meno larghi dei *suoi* .

4. (Lei – noi) Signor Foresti, *la Sua* camicia è meno grande della *la nostra* *la Sua* giacca è moderna come *la nostra*

5. (Carlo – voi) *le sue* *il suo* giaccone è leggero come *le vostre* *il vostro* e *le sue* scarpe sono meno larghe delle *vostre*

6. (Giulia – Marco e Susanna) *i suoi* pantaloni sono più larghi dei *loro* e *la sua* giacca è lunga come *la loro* .

7. (io – voi) *il mio* vestito è meno stretto del *vostro* e *le mie* borse sono colorate come *le vostre* .

8. (tu – noi) *le tue* gonne sono più vecchie delle *nostre* e *i tuoi* maglioni sono colorati come *i nostri* .

E15 →

Il futuro per fare supposizioni

5a Leggi i dialoghi. Rifletti sull'uso dei verbi sottolineati. Con che funzione viene usato il futuro? Serve a parlare di azioni future?

1.
Ho perso l'orologio, che ore <u>saranno</u>?

Mah, <u>saranno</u> le cinque, è già buio.

2. ● In questa vetrina non ci sono i prezzi. Quanto <u>costerà</u> quella gonna verde?
   ○ Secondo me non più di 50 euro.

3. ● Mi dà anche un pezzo di formaggio?
   ○ Questo va bene?
   ● Quanto <u>sarà</u>?
   ○ Mah, non è molto grosso, <u>peserà</u> intorno ai tre etti.

4. ● Guarda che bel ragazzo. Quanti anni <u>avrà</u>?
   ○ Secondo me una ventina.

	cost-are	pes-are	essere	avere
lui/lei	cost-er-à	pes-er-à	sar-à	avr-à
loro	cost-er-anno	pes-er-anno	sar-anno	avr-anno

5b Completa i dialoghi con il verbo al futuro.

1. ● Serve altro?
   ○ Sì, un pezzo di fontina.
   ● Questo va bene?
   ○ Quanto (*pesare*) *peserà* ?
   ● Mah, non è molto grosso, (*essere*) *sarà* tre etti. Aspetti che lo peso.

2. ● Come sono grandi i bambini di Marcella. Quanti anni (*avere*) *avranno* adesso?
   ○ Eh, ormai credo sette.

3. ● Senta, poi volevo anche qualche mela.
   ○ Queste quattro vanno bene? (*essere*) *saranno* più o meno un chilo.
   ● Sì, vanno bene, grazie.

4. ● Che bella quella gonna, ma non c'è il prezzo.
   ○ Quanto (*costare*) *costerà* , secondo te?
   ● Mah, è di Armani, (*essere*) *sarà* intorno ai 70-80 €.
   ○ E guarda i pantaloni! Che meraviglia!
   ● Eh, i pantaloni (*costare*) *costeranno* di più.

5. ● Che ore sono? Devo andare a casa.
   ○ Non ho l'orologio, ma (*essere*)_____ le sette.
   ● Devo scappare, allora.

5c Che cosa sarà? Questi sono i regali che ha comprato Anna per Natale. Con un compagno fai ipotesi sul regalo.

Che cosa sarà? Sarà un CD.

I suoni [v] (*v*aligia) e [b] (*b*raccialetto)

CD 2 t. 16

1a Ascolta queste coppie di nomi e indica se contengono il suono [b] o [v]. Metti 1 per il primo suono che senti e 2 per il secondo.

	1	2	3	4	5	6	7	8
[b]	1							
[v]	2							

	9	10	11	12	13	14	15	16
[b]								
[v]								

CD 2 t.17

1b **Ascolta il dialogo e cerchia la parola che senti, poi controlla con un compagno.**

- Buongiorno (1) *Viviana / Bibiana*, cosa (2) *voleva / boleba*?
- Un vestito per (3) *Carnevale / Carnebale*.
- Quale le (4) *piacerevve / piacerebbe*?
- Quello blu e verde.
- Quello in (5) *vetrina / betrina*?
- Proprio quello, (6) *ovviamente / obbiamente* ci (7) *vorrevve / vorrebbe* una taglia più piccola!

- Devo (8) *avere / abere* ancora solo la 40.
- Si potrebbe (9) *provarlo / probarlo*?
- (10) *Induvviamente / indubbiamente* e senza problemi.
- Mi va bene, anzi benissimo.
- Quanto (11) *viene / biene*?
- Ventinove euro.
- Poco, lo prendo.
- Se riesco vengo a (12) *vederLa / bederLa*!
- (13) *Volentieri / bolentieri*.

1c **In coppia. Recitate il dialogo.**

1d **In coppia. Ripetete a turno questi scioglilingua per 3 volte. Vince chi fa meno errori.**

> Eva dava l'uva ad Ava;
> Ava dava l'uova ad Eva;
> ora Eva è priva d'uva,
> mentre Ava è priva d'uova.

> Sei tu quel barbaro barbiere che barbaramente barbasti la barba a quel povero barbaro barbone?

1e **Scrivi le lettere che mancano scegliendo tra b/bb e v/vv.**

1. Il frutti__endolo __ende anche la __erdura: ca__oli, er__e aromatiche come il ―― asilico e la sal__ia.

2. Un __uon paio di guanti ser__e da __ero quando si __a a sciare sulla ne__e do __e c'è molto freddo.

3. L'uo__o a __olte __iene regalato a Pasqua perché è sim__olo di __ita.

4. Quando si __a in __acanza e si __uole __isitare qualche __el posto __isogna a __ere una __uona guida.

5. Le donne sono molto __rave ad a__inare tra loro i __ari colori e i capi di a__igliamento.

1 **Un nuovo look.**

Leggi il tuo profilo e preparati a recitare la tua parte.

STUDENTE A

Scegli in appendice l'identità che preferisci. Osserva la vetrina e chiedi informazioni sui capi di abbigliamento che vuoi comprare.

STUDENTE B

Sei il commesso in questo negozio di abbigliamento. Entra un nuovo cliente; aiutalo a scegliere i vestiti.

2 **La festa di Capodanno.**

Lavorate in gruppi di 3. Dovete preparare una festa di Capodanno per 6 persone. Avete a disposizione solo 120 €. Che cosa comprate? In quale quantità? Discutete insieme e poi scrivete una lista della spesa.

3 **Spese natalizie.**

Tu e la tua collega avete ricevuto un premio di produzione di 2000 € e avete deciso di rinnovare il vostro guardaroba. Pensa a quali capi comprare e confrontati con la tua collega. Scrivete poi insieme una lettera a Silvana, la vostra collega che ora lavora in Brasile.

Funzioni

interagire in un negozio				
salutare	QUANDO SI ENTRA		QUANDO SI VA VIA	
	Buongiorno / Salve / Buonasera		Arrivederci / ArrivederLa	
chiedere a un cliente cosa desidera	Posso aiutarLa? / Desidera? Cosa stava cercando/cercava/voleva/Le serve?			
dire cosa si vuole	Volevo/Vorrei un etto di prosciutto.			
	Cercavo/Mi serviva della carta natalizia.			
chiedere quanto costa	Quanto	costa/viene	quel maglione verde in vetrina?	
		costano/vengono	quei pasticcini al chilo/all'etto?	
chiedere/dire quanto pesa	Quanto	pesa/pesano?	Pesa un chilo.	
		peserà/peseranno?	Peseranno 100 grammi.	
		sarà/saranno?	Sarà 1 chilo.	
chiedere se c'è qualcosa	Ha/avete	della carta da pacchi?		
	Avete ancora	del latte?		
chiedere/dire la quantità	Quanto/a/i/e ne vuole?	Ne voglio un chilo/tre/un po'/un pezzo.		
	Ne vuole tanto/poco?			
chiedere/dire la taglia	Che taglia ha/porta? Qual è la Sua taglia?	Ho/porto la 44/la 42.		
chiedere un'altra taglia	Non ha una taglia più piccola/grande, per favore? Ha una taglia più piccola/grande, per favore?			
dire che un capo non va bene	Questa gonna è troppo stretta. Questo maglione non mi va bene.			
informarsi/dare informazioni sull'aspetto	Come sto? / Come mi sta/stanno?		(Non) stai bene. (Non) sta bene.	

Grammatica

Pronomi indiretti (3ª persona)

Si usano con i verbi intransitivi, cioè i verbi che rispondono alla domanda *a chi?*

soggetto	pronome indiretto
a lui	gli
a lei	le
a Lei	Le
a loro	gli/...loro

- A Carla serve dell'olio
  → *Le* serve dell'olio (**a chi serve?**)
- Do a Carlo la mia sciarpa.
  → *Gli* do la mia sciarpa (**a chi do?**)
- Signor Biagi, Le servono dei biscotti? → *Le* servono dei biscotti? (**a chi servono?**)
- A Matteo e Anna compro dei regali → *Gli* compro dei regali (**a chi compro?**)

 Il pronome plurale *loro* va dopo il verbo ed è più formale di *gli*.

Pronome partitivo **ne**

Il pronome *ne* sostituisce un nome che indica una parte. Si usa con espressioni di quantità definite (i numeri) o indefinite (*molto, poco, un po', alcuni, un chilo...*).

- Vuoi del pane?   Quanto <u>ne</u> vuoi?   Ne voglio <u>un chilo</u>   (= un chilo di pane)
- Vuoi delle uova?   Quante <u>ne</u> vuoi?   Ne voglio <u>sei</u>.   (= sei uova)
- Vuoi della torta?   Quanta <u>ne</u> vuoi?   Ne voglio <u>poca</u>.   (= poca torta)
- Vuoi dei cioccolatini? Quanti <u>ne</u> vuoi?   <u>Li</u> voglio <u>tutti</u>. (= tutti i cioccolatini)

 Il *ne* quando è partitivo non si usa con *tutto/a/i/e*; si usano invece i pronomi diretti *lo/la/li/le*.

Comparativi

se paragono due cose, persone rispetto a una qualità						
Il salmone			caro	**del**	pane
La mia maglietta	è	**PIÙ**	corta	**della**	tua
Marcello			ricco	**di**	Giulio
Io	sono		elegante	**di**	te
Il pane	è	**MENO**	caro	**del**	salmone
La tua maglietta	è	corta		la mia	
Giulio		alto	**COME**	Marcello	
Tu	sei	elegante		me	

se paragono due nomi preceduti da preposizione					
Il vino	costa	**PIÙ/MENO**	in Italia	**che**	in Belgio

Aggettivi e pronomi possessivi (sintesi)

io	tu	Lei	lui/lei	noi	voi	loro	
il mio	il tuo	il Suo	il suo	il nostro	il vostro	il loro	vestito
la mia	la tua	la Sua	la sua	la nostra	la vostra	la loro	giacca
i miei	i tuoi	i Suoi	i suoi	i nostri	i vostri	i loro	pantaloni
le mie	le tue	le Sue	le sue	le nostre	le vostre	le loro	scarpe

In italiano gli aggettivi e i pronomi possessivi si usano quasi sempre con l'articolo (cfr. però Unità 8 p. 147).
Si accordano con la persona del possessore, ma al numero e genere della cosa posseduta.

● io – giacca (femminile singolare) → La *mia* (femminile singolare) giacca.

Alla terza persona singolare il pronome è sempre *suo*, non importa se il possessore è maschile o femminile.

● La *sua* (femminile singolare) giacca (femminile singolare) → sua (di Carlo/di Carla)

Anche per la forma di cortesia si usa *Suo*.

● Signor Rossi/Signora Rossi, ha dimenticato i *Suoi* (maschile plurale) occhiali (maschile plurale)

Alla terza persona plurale l'aggettivo possessivo è sempre *loro* e non cambia per genere e numero, mentre l'articolo deve essere accordato al nome.

● il *loro* vestito / la *loro* gonna / i *loro* vestiti / le *loro* gonne.

I pronomi possessivi hanno la stessa forma degli aggettivi possessivi, ma non sono mai accompagnati da un nome. Si usano sempre con l'articolo.

● La mia (AGG) giacca è verde, la *sua* (PRO) è gialla.

Futuro per fare supposizioni

	cost-are	prend-ere	ven-ire	essere	avere
lui/lei	cost-er-à	prend-er-à	verr-à	sar-à	avr-à
loro	cost-er-anno	prend-er-anno	verr-anno	sar-anno	avr-anno

In italiano il futuro si usa per fare supposizioni, cioè ipotesi sulla situazione presente.

● Carlo non ha ancora chiamato. Forse *dormirà* a quest'ora.
● Che ore *saranno*? Le 5.
● Quanti anni *avrà*? Una quarantina.

Vedi usi del futuro U9 → pag. 170

Dossier *cultura*

Che cos'è il made in Italy?

1ª Leggi i seguenti testi.

Il made in Italy per gli stranieri …

... e per gli italiani

Tricolore è bello

Che cosa pensano gli italiani del *made in Italy*?
Ecco che cosa hanno riposto alla domanda "Che cos'è il *made in Italy?*" le 4460 persone intervistate:

Un prodotto fabbricato esclusivamente in Italia	43,1%
Un modo di vivere e di produrre tipicamente italiano	16%
Un modo per esportare il buon gusto italiano	15,4%
Un modo per certificare la qualità dei prodotti	10%
Un'etichetta che dà sicurezza	4,7%
Un'etichetta per giustificare un costo più elevato	1,2%
Altro/Non so	9,6%

(da "Panorama", 8 giugno 2002)

I miti sono cucina e moda ma il sogno è una Ferrari

ROMA – Il *made in Italy*? Per i cinesi vuol dire vestiti alla moda, cibi e vini del Mediterraneo, e soprattutto il calcio. Per gli svedesi cibo e vino, mare e calcio. Per i russi la buona tavola, ma anche le bellezze naturali, il mare e la moda. Per gli americani cibo e vino, oltre ai luoghi italiani legati alla religione. In ogni caso, il *made in Italy* è sinonimo di qualità, design, innovazione.

La ricerca presentata durante il convegno del Comitato Leonardo ci dà un quadro molto incoraggiante: si tratta di un sondaggio realizzato in quattro Paesi, tutti ugualmente importanti anche se molto diversi, per capire cos'è il *made in Italy* e quali sono le sue prospettive. Le persone intervistate sono circa 4 mila, mille per Paese. Pensando all'Italia, il 45% degli intervistati immagina il cibo e i vini, il 20% i luoghi italiani (città d'arte e paesaggi) e il 19% l'abbigliamento. Le *griffe* italiane colpiscono di più l'immaginario dei Paesi emergenti come la Cina (39%) e la Russia (21%), meno i Paesi già abituati alle firme dell'alta moda. Il 15% pensa invece al calcio, con i cinesi che sono i tifosi più accaniti (31%). Per quanto riguarda i prodotti, le preferenze vanno soprattutto al cibo e alla moda (abbigliamento, pelletterie, calzature), ma per il 24% l'*italian dream* è acquistare una bella auto *made in Italy*. Insomma, si comprano vino e pasta, ma il sogno di molti è una bella macchina italiana, per esempio una Ferrari.

(da "il Sole 24 Ore", 18 giugno 2004)

1ᵇ Guarda le immagini e indica con una crocetta quali aspetti dell'Italia sono più conosciuti e apprezzati nei diversi Paesi.

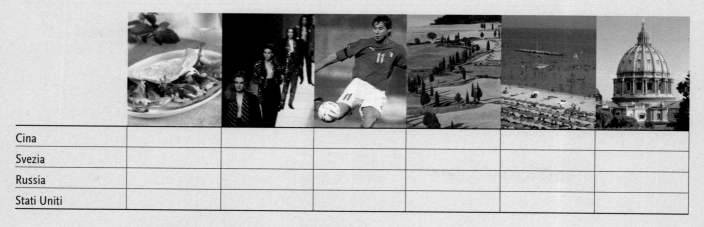

Cina						
Svezia						
Russia						
Stati Uniti						

In quali Paesi la moda è più apprezzata? _____

Dove si segue il calcio con grande interesse? _____

1c E per te, cos'è il made in Italy? Quali sono i prodotti che ti vengono in mente pensando all'Italia?

_____

_____

2a Roma e Milano sono le due più importanti città italiane.
Osserva le foto: che differenze ci sono, secondo te, tra queste città?

1. Via del centro
2. La sede della Borsa
3. Piazza Cadorna

Milano

Roma

1. Basilica di San Giovanni in Laterano

2. Palazzo Montecitorio, sede della Camera dei Deputati

3. Piazza Trinità dei Monti

unità 8

Mi fai vedere qualche foto della tua famiglia?

In questa unità impari a parlare della tua famiglia e dei tuoi studi; a parlare del passato (della tua infanzia); a descrivere l'aspetto fisico e la personalità delle persone.

per cominciare

● **Che cos'è per te la famiglia?**

> Per me la famiglia è affetto e protezione

> Per me invece è una prigione....

> La famiglia per me è stato mio nonno...

● **Guarda questa foto di famiglia. Chi sono secondo te queste persone?**

● Questa è la nonna.
○ Questa è una nipote...

per capire

CD 2 t.18

Mi fai vedere qualche foto della tua famiglia?

1a **Ascolta Emanuela che presenta la sua famiglia a Carla. Scegli la risposta corretta.**

1. Di dov'è Emanuela?
   - ☐ **a.** piemontese
   - ☐ **b.** siciliana
   - ☐ **c.** veneta

2. Dove abita adesso?
   - ☐ **a.** a Messina
   - ☐ **b.** a Torino
   - ☐ **c.** a Padova

3. Che scuola fa il figlio?
   - ☐ **a.** la scuola media
   - ☐ **b.** il liceo
   - ☐ **c.** l'università

4. Quanti fratelli ha?
   - ☐ **a.** un fratello e una sorella
   - ☐ **b.** due fratelli
   - ☐ **c.** due sorelle

5. Dove vivono i suoi genitori?
   - ☐ **a.** in una casa al mare
   - ☐ **b.** a Messina
   - ☐ **c.** a Roma

6. Qual è la passione di Emanuela?
   - ☐ **a.** i viaggi
   - ☐ **b.** il mare
   - ☐ **c.** la fotografia

1b **Vero o falso?**

V **F**

1. Emanuela vive vicino ai suoi genitori. ☐ ☐
2. Emanuela sente spesso i suoi fratelli per telefono. ☐ ☐
3. Emanuela e la sua famiglia si incontrano nella casa al mare
   dei genitori per le vacanze estive. ☐ ☐
4. Emanuela si incontra con i suoi nonni, zii e cugini materni per il Natale. ☐ ☐

1c **Riascolta la conversazione e completa. Chi sono per Emanuela queste persone?**

Paola è sua *sorella*. Giuliano e Tommaso sono i suoi *zii*.

1. Roberto è suo _____ .
2. Ninni ed Elvira sono i suoi

   _____ .
3. Davide è suo _____ .

4. Gianluca è suo _____ .
5. Sara è sua _____ .
6. Marco e Lucia sono i suoi

   _____ .

2a Com'è secondo te la famiglia italiana?

2b Leggi l'articolo e associa un titolo a ogni paragrafo scegliendo tra:

Matrimoni in crisi più al Nord che al Sud
I figli italiani lasciano la famiglia tardi
I ruoli nella famiglia non sono ancora paritari

Numero di figli
Quando e come ci si sposa

Come sta cambiando la famiglia italiana

Dai dati di recenti indagini ecco una fotografia dei cambiamenti in corso nella famiglia italiana del duemila.

(1) *Numero di figli*

Il calo delle nascite è un fenomeno mondiale, che colpisce soprattutto Italia e Spagna, i due paesi europei più cattolici e tradizionali. In Italia, il numero medio di figli per donna nel 1960 era 2,41, oggi è 1,25 e secondo le previsioni nel 2010 sarà 1,40.

(2) _____

Gli ultimi dati sull'età del matrimonio in Italia dicono che è in leggera ma costante crescita (per i maschi l'età media è 30,9 e per le femmine 28,1).
La maggior parte degli italiani si sposa ancora in chiesa, anche se sono in aumento i matrimoni civili (23,7%). Anche le coppie di fatto crescono: gli italiani che convivono senza essere sposati sono circa il 6% (contro il 40% in Inghilterra e il 72% in Danimarca).

(3) _____

In Italia crescono i divorzi e le separazioni, al Nord più che al Sud, ma in tutto il paese la tendenza è in costante aumento. Nell'ultimo anno al Nord ci sono stati 6,2 separazioni e 3,4 divorzi ogni mille coppie sposate, contro 3,2 separazioni e 1,4 divorzi al Sud.

(4) _____

I giovani italiani escono dalla casa dei genitori piuttosto tardi, intorno ai 30 anni, solitamente per sposarsi. Anche al tempo dei nostri nonni pochi lasciavano la famiglia e la maggioranza viveva con i genitori anche dopo il matrimonio. Oggi i giovani rimangono a lungo in casa per diverse ragioni, anche economiche.

(5) _____

Nell'organizzazione della vita familiare i giovani di oggi mostrano ancora una forte differenza tra i sessi. I maschi che fanno lavori domestici (come il mettere in ordine la propria camera) sono solo il 20,3% e le ragazze il 40,8%. Anche dopo sposati i maschi italiani non aiutano molto in casa. In media un uomo lavora 9 ore, mentre una donna arriva a 14 tra il lavoro fuori casa e quello domestico.

Confronto fra culture
La famiglia

Confrontate i dati sulla famiglia italiana con i cambiamenti che sta vivendo la famiglia nel vostro Paese. Potete parlare di:

● natalità (quanti bambini nascono)
● matrimonio e convivenza
● separazioni, divorzi
● ruoli dell'uomo e della donna nella famiglia
● quando i giovani lasciano la famiglia

2c Rileggi il testo con più attenzione e completa la tabella sotto.

Numero medio di figli	1960:	2004:	2010:
Età del matrimonio	maschi:	femmine:	
Coppie	matrimoni civili:	convivenze:	
Separazioni	Nord:	Sud:	
Lavori domestici	figli maschi:	figlie femmine:	

lessico

La famiglia

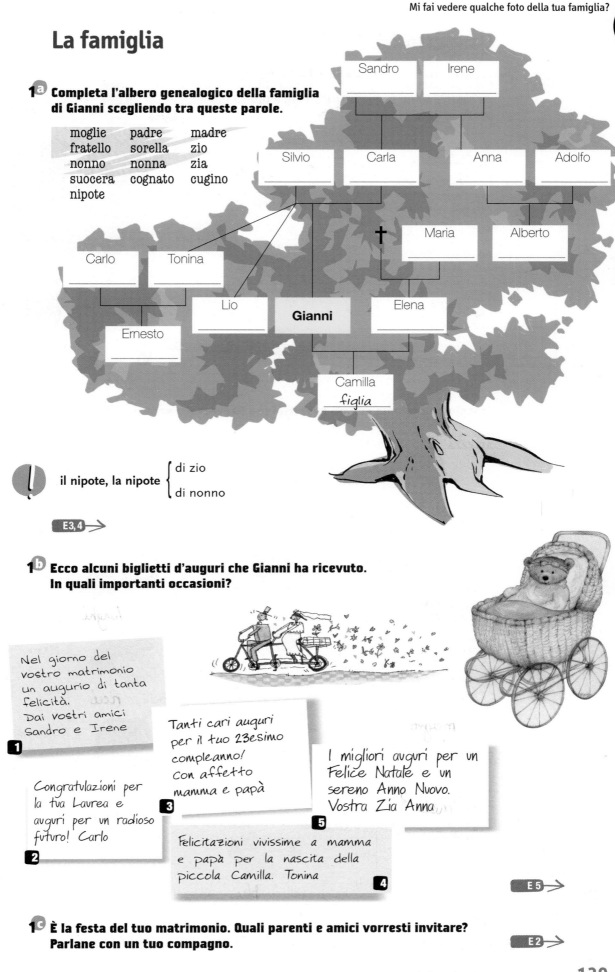

1a Completa l'albero genealogico della famiglia di Gianni scegliendo tra queste parole.

moglie   padre   madre
fratello   sorella   zio
nonno   nonna   zia
suocera   cognato   cugino
nipote

Sandro   Irene

Silvio   Carla   Anna   Adolfo

Maria   Alberto

Carlo   Tonina

Lio   **Gianni**   Elena

Ernesto

Camilla
figlia

il nipote, la nipote ⎰ di zio
                ⎱ di nonno

E3, 4 →

1b Ecco alcuni biglietti d'auguri che Gianni ha ricevuto. In quali importanti occasioni?

Nel giorno del vostro matrimonio un augurio di tanta felicità.
Dai vostri amici Sandro e Irene
1

Congratulazioni per la tua Laurea e auguri per un radioso futuro! Carlo
2

Tanti cari auguri per il tuo 23esimo compleanno!
Con affetto mamma e papà
3

Felicitazioni vivissime a mamma e papà per la nascita della piccola Camilla. Tonina
4

I migliori auguri per un Felice Natale e un sereno Anno Nuovo.
Vostra Zia Anna
5

E 5 →

1c È la festa del tuo matrimonio. Quali parenti e amici vorresti invitare? Parlane con un tuo compagno.

E2 →

L'aspetto fisico

2a Sandra descrive a Paola due ragazzi che ha conosciuto a un matrimonio. Leggi la sua e-mail e indica quali persone descrive.

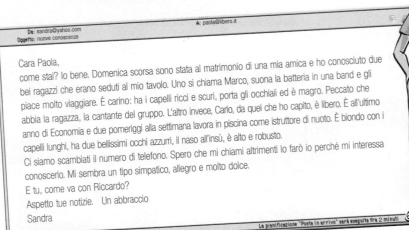

De: sandra@yahoo.com
Oggetto: nuove conoscenze
A: paola@libero.it

Cara Paola,
come stai? Io bene. Domenica scorsa sono stata al matrimonio di una mia amica e ho conosciuto due bei ragazzi che erano seduti al mio tavolo. Uno si chiama Marco, suona la batteria in una band e gli piace molto viaggiare. È carino: ha i capelli ricci e scuri, porta gli occhiali ed è magro. Peccato che abbia la ragazza, la cantante del gruppo. L'altro invece, Carlo, da quel che ho capito, è libero. È all'ultimo anno di Economia e due pomeriggi alla settimana lavora in piscina come istruttore di nuoto. È biondo con i capelli lunghi, ha due bellissimi occhi azzurri, il naso all'insù, è alto e robusto.
Ci siamo scambiati il numero di telefono. Spero che mi chiami altrimenti lo farò io perché mi interessa conoscerlo. Mi sembra un tipo simpatico, allegro e molto dolce.
E tu, come va con Riccardo?
Aspetto tue notizie.   Un abbraccio
Sandra

La pianificazione "Posta in arrivo" sarà eseguita fra 2 minuti

1 **2** **3** **4**

2b Completa la tabella con gli aggettivi che hai trovato nella e-mail.

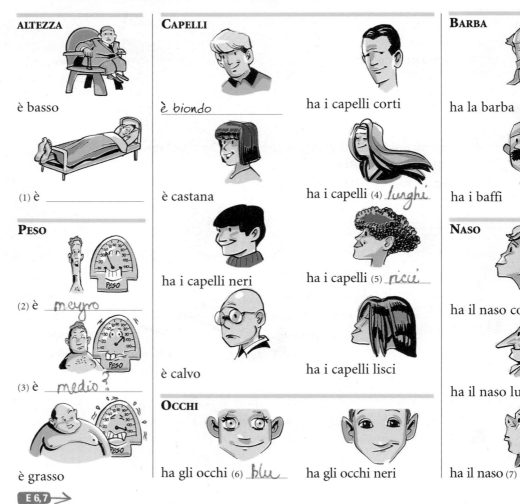

ALTEZZA

è basso

(1) è _____

PESO

(2) è *megro*

(3) è *medio?*

è grasso

E 6,7 →

CAPELLI

è biondo

è castana

ha i capelli neri

è calvo

ha i capelli corti

ha i capelli (4) *lunghi*

ha i capelli (5) *ricci*

ha i capelli lisci

OCCHI

ha gli occhi (6) *blu*   ha gli occhi neri

BARBA

ha la barba

ha i baffi

NASO

ha il naso corto

ha il naso lungo

ha il naso (7) _____

2c In coppia. Descrivete i ragazzi dei disegni 2 e 4 dell'esercizio 2a.

lessico

2ᵈ A turno uno studente esce dalla classe. Gli altri scelgono un compagno. Lo studente che è uscito deve indovinare di quale compagno si tratta. Può fare solo domande che hanno come risposta sì/no.

Ha i capelli corti?   È alto?   Ha un maglione rosso?

La personalità

 3ᵃ Gianfranco vuole incontrare l'anima gemella. Leggi i profili sotto e decidi quale donna fa per lui.

Gianfranco Aosta, pubblicitario, **40 anni**, separato con un figlio, ha un cane, fuma

Quali sono i tuoi hobby?
Leggere, ascoltare musica, andare in bicicletta.
Cosa ti piace di te?
La mia voce. Sono socievole e ottimista.
Cosa vorresti cambiare di te?
Mi fido troppo degli altri. Vorrei smettere di fumare.
In tre parole descrivi la tua donna ideale.
Affettuosa, intelligente, tranquilla.
Cosa faresti per conquistarla?
La inviterei a casa mia per una cena a lume di candela.
Quante volte ti sei innamorato?
Due volte.

☐ **ROSSELLA**
Sono elegante, sexy, passionale.
Adoro fare shopping e andare in palestra. I miei amici mi dicono che dovrei arrabbiarmi di meno.

☐ **LUISA**
Sono molto seria e sincera. Amo nuotare e mi piace cucinare. Sono timida e gli amici mi rimproverano di essere sempre in ritardo.

☐ **MONIA**
Amo l'arte e la musica. So suonare la chitarra, mi piace il giardinaggio e adoro gli animali. Sono romantica, dolce, intelligente e simpatica. Le mie amiche mi dicono che sono pigra.

3ᵇ Associa ogni aggettivo al suo contrario.

[C] 1. È veramente **simpatico**.
[f] 2. Non vado d'accordo con le persone **false**.
[g] 3. Mi rimproverano di essere troppo **attivo**.
[e] 4. Detesto le persone **nervose**.
[d] 5. È un tipo **timido, chiuso**.
[a] 6. Non mi piacciono i ragazzi **scortesi**.
[h] 7. Non vorrei essere **pauroso**.
[b] 8. Da quando si è separato dalla moglie è sempre **triste**.

a. gentili
b. allegro
c. antipatico
d. aperto
e. calme
f. sincere
g. pigro
h. coraggioso   E 1a, 8, 9 →

3ᶜ In coppia. Scrivi il tuo profilo (pregi, difetti, hobby) e poi parla di te a un tuo compagno.

PREGI   (+)   *Sono curiosa.*

DIFETTI (−)   *Sono pessimista.*

HOBBY   *Adoro i balli latino-americani.*

3ᵈ In coppia. Rispondete a queste domande.

1. Con quali persone vai d'accordo?
2. Com'è il tuo migliore amico?
3. Com'è il/la partner dei tuoi sogni?
4. Come sono i tuoi genitori?

Vado d'accordo con _____

_____

_____

_____

La scuola

4ᵃ Con la classe. Nel vostro Paese quando si comincia ad andare a scuola? Fino a che età si deve andare a scuola?

CD 2 t.19

4ᵇ Ascolta la conversazione e scegli la risposta giusta.

V F

1. Un ragazzo italiano deve andare a scuola fino a 15 anni. ☐ ☐
2. Alla fine della scuola elementare non c'è un esame. ☐ ☐
3. Alla fine della scuola media non c'è un esame. ☐ ☐
4. Finita la scuola superiore si ha una laurea. ☐ ☐
5. La scuola superiore si conclude con l'esame di maturità. ☐ ☐
6. I bambini studiano le lingue straniere dalla prima elementare. ☐ ☐

4ᶜ Riascolta e completa la tabella.

il sistema scolastico italiano	
tipo di scuola	da anni ... a ... anni
materna (asilo)	3–5
elementare (primaria)	
media	
superiore { licei / istituti professionali	

E 1b →

lessico

4d Collega le frasi che hanno lo stesso significato.

☐ 1. L'anno prossimo devo ripetere la 3ª liceo.

☐ 2. All'esame di letteratura inglese ho preso 29 su 30.

☐ 3. Ho finito la 2ª media. L'anno prossimo vado in 3ª.

☐ 4. A settembre inizio Medicina.

☐ 5. Mi piacciono la Letteratura e la Storia.

a. Mi iscrivo all'università.

b. Preferisco le materie umanistiche.

c. Sono stato bocciato.

d. Ho preso un bel voto.

e. Sono stato promosso. `E 1c` →

4e Associa le domande alla materia di studio.

DOMANDE

☐ 1. Qual è la velocità della luce?

☐ 2. In che anno è iniziata la Prima guerra mondiale?

☐ 3. Quanto fa $8^2 + 2^3$?

☐ 4. Com'è l'accusativo dei nomi della prima declinazione come *rosa*?

☐ 5. Quali sono i principali vulcani italiani?

☐ 6. Come si dice "a presto" in inglese?

☐ 7. H_2O è la formula ……

☐ 8. Chi ha scritto *I promessi sposi*?

MATERIE DI STUDIO

a. Geografia

b. Matematica

c. Chimica

d. Fisica

e. Lingua straniera

f. Letteratura

g. Latino

h. Storia

Confronto fra culture

Studiare

- Com'è il sistema scolastico nel tuo Paese?
- E i voti?
- E tu, che studi fai/hai fatto?
- Che materie preferisci/preferivi?

VOTI

Scuola superiore
da 1 a 10 (6 = sufficienza)

Esame di maturità
da 1 a 100 (60/100 = sufficienza)

Università
da 1 a 30 (18 = sufficienza)

I possessivi (con i nomi di parentela)

1a **Osserva l'uso dell'articolo con gli aggettivi possessivi seguiti da un nome di parentela. Poi completa la tabella con le regole che riesci a ricavare.**

1. EMANUELA Questa è Paola, non la riconosci?
   CARLA No, è molto cambiata. E cosa fa di bello adesso?
   EMANUELA Si è sposata e vive da due anni a Roma dove si è trasferita perché ha conosciuto <u>suo marito</u> Leonardo, che è <u>il mio cognato preferito</u>, un tipo simpaticissimo.

2. CARLA Vi vedete qualche volta?
   EMANUELA Ma guarda, vedo <u>i miei zii</u> e <u>i miei cugini</u> materni tutti assieme una volta all'anno. Nella famiglia di <u>mia madre</u> c'è la tradizione di incontrarci nella casa di campagna dove è nato <u>mio nonno</u> Francesco per festeggiare il suo compleanno – quest'anno <u>il mio nonnino</u> pensa che ne compie ben 91.

aggettivi possessivi + nomi di parentela	
senza articolo	con articolo

1b **Completa questa lettera con i possessivi facendo attenzione all'uso dell'articolo.**

Toronto, 21 marzo 2006

Caro papà,
come stai? (1) _____ schiena va un po' meglio? Qui fa ancora molto freddo e la primavera non arriva. E lì, il sole è già caldino?
Io e Steven stiamo bene. Nel fine settimana siamo andati al matrimonio di (2) _____ sorella Louise, che è la più giovane. Gli sposi erano splendidi, (3) _____ abiti erano molto eleganti! Steven ha una famiglia numerosa: c'erano tutti (4) _____ zii paterni e materni e alcuni dei (5) _____ cugini. Ho conosciuto (6) _____ cugina Evelin che, come ti dicevo, verrà un anno in Italia, a Urbino, con il progetto Erasmus.
A proposito invece della (7) _____ famiglia, come stanno Ilaria, Alberto e (8) _____ bambini? Salutameli e digli di venirmi a trovare.
E come va (9) _____ corso di inglese? È stata proprio una buona idea cominciare a studiare un po' di inglese così, quando verrai a trovarmi, potrai parlare un po' con Steven e (10) _____ suoceri, senza dover dipendere sempre dalla (11) _____ traduzione.
Allora, ti aspetto per le vacanze estive? Non vedo l'ora di farti vedere (12) _____ casetta e la città che è molto verde. Ti piacerà!
Ti voglio bene, a presto
(13) _____ figlia Agnese

E 10, 11

grammatica

L'imperfetto

2a Che cosa ti ricordi della tua infanzia?

2b Leggi questo testo letterario che parla dei ricordi d'infanzia di Michele e indica l'alternativa corretta.

Io e Salvatore avevamo la stessa età, però mi sembrava più grande. Un po' perché era più alto di me, un po' perché aveva le camicie bianche sempre pulite e i pantaloni lunghi e con la piega. Lo obbligavano a suonare, un insegnante veniva una volta alla settimana da Lucignano a fargli lezione, e lui, anche se odiava la musica, non si lamentava e aggiungeva sempre: – Ma quando sono grande smetto. Il Subbuteo era il mio gioco preferito. Non ero molto bravo ma mi piaceva da morire. D'inverno con Salvatore facevamo tornei infiniti, passavamo pomeriggi interi a tirare quei piccoli calciatori di plastica. Salvatore giocava anche da solo. Incolonnava migliaia di soldatini per la stanza e copriva tutto il pavimento fino a che non c'era più posto nemmeno per mettere i piedi. […] Tutti gli anni, alla mia festa e a Natale, chiedevo a papà e a Gesù Bambino di regalarmi il Subbuteo, ma non c'era verso, nessuno dei due ci sentiva. Mi bastava una squadra. Senza il campo e le porte. Salvatore invece ne aveva già quattro. E ora il padre gliene aveva comprate altre otto. Perché a me niente?

(da *Io non ho paura*, di Niccolò Ammaniti, Einaudi, Torino, 2001)

	V	**F**
1. Salvatore era un amico di Michele.	☑	☐
2. Salvatore era un bambino povero.	☑	☐
3. Il Subbuteo era un gioco con i soldatini.	☐	☑
4. Michele non possedeva il Subbuteo.	☐	☑

2c Nel racconto per parlare del passato si usa l'imperfetto (es. avevamo). Sottolinea nel testo tutti i verbi all'imperfetto e completa la tabella.

imperfetto			
	-are (giocare)	**-ere (chiedere)**	**-ire (venire)**
io	gioc-**av-o**	chiedevo	venivo
tu	gioc-**av-i**	chiedevi	venivi
lui, lei/Lei	gioc-**av-a**	chiedeva	veniva
noi	gioc-**av-amo**	chiedevamo	venivamo
voi	gioc-**av-ate**	chiedevate	venivate
loro	gioc-**av-ano**	chiedevano	venivano

imperfetto		
	essere	**avere**
io	ero	avevo
tu	eri	avevi
lui, lei/Lei	era	aveva
noi	eravamo	avevamo
voi	eravate	avevate
loro	erano	avevano

2d **Rileggi alcune frasi riprese dal testo e rifletti sull'uso dell'imperfetto.**

a–place, person (phys state/psych) a general condition

Che significato ha l'imperfetto dei verbi sottolineati?

   a. descrive luoghi, persone (stati fisici e psicologici) e condizioni generali

   b. indica fatti passati che si ripetono con abitudine

1. Io e Salvatore <u>avevamo</u> (*a*) la stessa età, però mi <u>sembrava</u> (*a*) più grande. Un po' perché <u>era</u> (*a*) più alto di me, un po' perché <u>aveva</u> (*b*) le camicie bianche sempre pulite e i pantaloni lunghi e con la piega.

2. Lo obbligavano a suonare, un insegnante <u>veniva</u> (*b*) **una volta alla settimana** da Lucignano a fargli lezione, e lui, anche se <u>odiava</u> (*a*) la musica, non si lamentava e <u>aggiungeva</u> (*b*) **sempre:** – Ma quando sono grande smetto.

3. **D'inverno** con Salvatore <u>facevamo</u> (__) tornei infiniti, passavamo pomeriggi interi a tirare quei piccoli calciatori di plastica.

4. **Tutti gli anni**, alla mia festa e a Natale, <u>chiedevo</u> (*b*) a papà e a Gesù Bambino di regalarmi il Subbuteo.

2e **Michele, un bambino di nove anni, descrive sua madre. Completa il testo con i verbi all'imperfetto.**

Al tempo di questa storia mamma (*avere*) (1) _aveva_ trentatré anni. (*Essere*) (2) _Era_ ancora bella. (*Avere*) (3) _Aveva_ lunghi capelli neri che le (*arrivare*) (4) _arrivano_ a metà schiena e li (*tenere*) (5) _teneva_ sciolti. (*Avere*) (6) _Aveva_ due occhi scuri e grandi come mandorle, una bocca larga, denti forti e bianchi e un mento a punta. (*Sembrare*) (7) _Sembrava_ araba. (*Essere*) (8) _Era_ alta, formosa, (*avere*) (9) _aveva_ il petto grande, la vita stretta e i fianchi larghi.

(da *Io non ho paura*, di Niccolò Ammaniti, Einaudi, Torino, 2001)

2f **In coppia. Descrivete un paio di persone della vostra famiglia: come sono ora e come erano nel passato (fisicamente e di personalità).**

2g **Trasforma le frasi come nell'esempio usando l'imperfetto (inizia con le espressioni di tempo che trovi tra parentesi).**

Cada verano

L'anno scorso sono andata nella casa al mare dei miei nonni. (ogni estate)

→ *Ogni estate andavo nella casa al mare dei miei nonni.*

1. L'anno scorso sono andato in vacanza in campeggio senza i miei genitori. (tutte le estati) *andavo*
2. Il mese scorso siamo andati nelle Marche a trovare i miei zii materni. (ogni mese) *andavamo*
3. Quando ero piccolo una volta ho festeggiato il Natale in Canada a casa di mio cugino. (ogni tre anni) *Festeggiavo*
4. Stamattina mi ha accompagnata a scuola mio padre. (tutti i sabati) *accompagnava*
5. Due anni fa abbiamo festeggiato il Capodanno nella nostra casa di montagna. (sempre) *festeggiavamo*

E 12, 13, 14 →

grammatica

2ᵇ In coppia. Usate queste domande per intervistarvi sui vostri ricordi d'infanzia.

Quando ero piccolo/a _____

- Che rapporto avevi con i tuoi genitori? E con i tuoi fratelli/le tue sorelle?
- Quali erano i momenti di festa nella tua famiglia (compleanni, Natale, ecc.)? Cosa facevate?
- Con chi litigavi in famiglia? Per quali cose?
- Cosa facevi durante le vacanze estive?
- Avevi degli animali nella tua infanzia?
- Quali erano i tuoi giochi preferiti e con chi giocavi?

I pronomi diretti e indiretti (sintesi)

3ᵃ Completa questa tabella con i pronomi mancanti. Si tratta dei casi in cui i pronomi diretti e indiretti NON sono uguali.

quién *a quién*

	pronomi diretti (chi? che cosa?)	**pronomi indiretti (a chi?)**
	Paola invita (*chi?*) Roberto. → Paola **LO** invita.	Paola telefona (*a chi?*) a Roberto. → Paola **GLI** telefona.
io	MI	MI
tu	TI	TI
Lei (di cortesia)	La	Le
lui (Mario)	Lo	Gli
lei (Maria)	La	le
noi	CI	CI
voi	VI	VI
loro (Mario e Ugo)	Li	} Gli
loro (Ada e Maria)	Le	

Signora Rossi, **La** invito al mio matrimonio.   Signora Rossi, **Le** telefono più tardi.
Signor Rossi, **La** invito al mio matrimonio.   Signor Rossi, **Le** telefono più tardi.

3ᵇ Scegli il pronome corretto.

1. Se penso agli anni della scuola *mi* (*ci/gli/mi*) vengono subito in mente i miei compagni di classe.

2. Signor Lippi, *Le* (*Le/la/gli*) lascio questo documento da firmare. *dejo/*

3. Quando andavamo in vacanza dalla nonna, *ci* (*vi/ti/ci*) leggeva ogni sera una fiaba.

4. I genitori di Marta non *le* (*la/le/loro*) hanno mai regalato un cane anche se lei *lo* (*lo/gli/mi*) desiderava tanto.

5. Da piccolo Mirco amava molto cantare e sapeva molte canzoncine che nonno Emilio *gli* (*lo/gli/le*) insegnava.

6. Conosco Silvana molto bene perché *la* (*lo/vi/la*) frequento da quando eravamo ragazzine.

E 15, 16, 17 →

L'accordo del participio passato con i pronomi

4ª Completa le regole. *(seen)*

> Hai visto Anna e Carmela?
> Sì, *le* ho incontrate oggi.
>
> Il participio passato SI ACCORDA in genere
> e numero con i pronomi _____

P.D *P.F*

P.I *(written to)*

> Hai scritto ad Anna e Carmela?
> Sì, *gli* ho scritto ieri una lunga lettera.
>
> Il participio passato NON SI ACCORDA
> con i pronomi _____

1. Hai visto Paolo? Sì, *l'*ho incontrat*o* ieri per strada.
2. Hai visto Paolo e Roberto? Sì, *li* ho incontrat*i* ieri.
3. Hai visto Lina? Sì, *l'*ho incontrat*a* ieri in università.
4. Hai visto Lina e Ada? Sì, *le* ho incontrat*e* ieri al cinema.
5. Ciao, Carla! *Ti* ho vist*a* ieri per strada ma tu non mi hai visto.
6. Ciao, ragazzi! *Vi* ho incontrat*i* ieri a lezione, ma voi non mi avete salutata.

Lo, la si possono apostrofare.
Li, le non si apostrofano mai.

4ᵇ Rispondi alle domande con i pronomi e fai attenzione all'accordo del participio passato.

1. Chi ha portato fuori il cane? — *L'ha portato fuori Luigi.*
2. Chi ha lavato ieri sera i piatti? — *Li ha lavati la mama.*
3. Hai chiesto scusa a papà? — *Sì, gli ho chiesto scusa.*
4. Chi ha stirato le camicie? — *Le ha stirate sua mama* *(plancher)*
5. Chi ha fatto la spesa? — *L'ha fatta mia sorella*
6. Chi ha lasciato la televisione accesa? — *l'ha lasciata mio fratello*
7. Che cosa hai prestato a Sara? — *le ho prestato mio vestito*
8. Chi ha fatto questa buonissima torta? — *l'ha fatta mia nonna*
9. Chi ha preso i 50 euro che c'erano nel cassetto? — *Gli ho presi io*
10. Chi ha telefonato alla nonna per invitarla? — *Le ha telefonato MarieCarmen*

E 18 →

Il suono [ʎ] (*figlio*)

CD2 t.20

1ª Ascolta questa intervista e fai attenzione alle lettere sottolineate che si pronunciano con il suono [ʎ].

In caso di necessità la fami*gli*a viene al primo posto. In particolare so di poter contare su mio fi*gli*o Giulio e su sua mo*gli*e che non lavora e che mi accompagna ogni settimana a fare la spesa al supermercato. Ho anche una fi*gli*a che vive in un'altra città, che fa del suo me*gli*o per starmi vicina telefonandomi tutti i giorni. Nella mia vita anche *gli* amici sono importanti ma non sono sempre disponibili.

CD2 t.21

1ᵇ Ascolterai ogni volta due parole. Scrivi una X quando senti il suono [ʎ] come in figlio.

	1.	2.	3.	4.	5.	6.	7.	8.	9
A									
B									

CD 2 t. 22

1ᶜ Ascolta e ripeti queste parole.

1. foglietto, folletto
2. regalo, bagaglio
3. palio, aglio

4. sveglia, svela
5. luglio, urlo
6. volo, voglio

7. foglie, folle
8. melo, meglio
9. agli, ali

1ᵈ Gioco. Rispondete alla domande che vi fa l'insegnante. La soluzione è una parola che contiene il grafema <gli>. Vince chi totalizza più risposte giuste.

1. _____
2. _____
3. _____

4. _____
5. _____
6. _____

7. _____
8. _____
9. _____

E 21 →

1 Descrivere persone.

In coppia. Descrivete queste fotografie. Chi sono queste persone? Com'è il loro carattere? In che famiglia vivono?

2 Un papà quasi perfetto.

In gruppi. Leggete la trama di un film TV a puntate che si intitola *Un papà quasi perfetto*. Immaginate come continua la storia di Michele.

Come tanti altri padri, Michele per motivi di lavoro ha vissuto spesso fuori casa. Quando sua moglie muore deve affrontare molti problemi con i suoi figli. C'è Caterina che ha 30 anni e che lui vorrebbe come vice-mamma per gli altri suoi fratelli.
Ma Caterina, medico, non è dello stesso parere e anzi decide di partire..... Poi c'è Chiara, 25 anni, la creativa e ribelle della famiglia che si ritrova incinta…
Il terzo figlio è Luigi di 15 anni, che frequenta la seconda liceo e che vive i primi problemi sentimentali dell'adolescenza.

3 La scuola che mi ricordo.

In coppia. Raccontate a un compagno un ricordo speciale di un'esperienza fatta a scuola. Potete per esempio parlare di:

- una gita scolastica
- un compagno speciale
- un professore indimenticabile
- una recita
- una gara
- uno scherzo
- un esame

4 La festa più importante.

Raccontate la festa più importante nella vostra famiglia e nel vostro Paese.

5 A un matrimonio.

Scrivi una lettera a un'amica di penna italiana per raccontarle quali sono le tradizioni del matrimonio nel tuo Paese.

Funzioni

descrivere lo stato civile di una persona	è sposato/separato/divorziato/*single*/vedovo
chiedere com'è l'aspetto fisico di una persona	Com'è fisicamente/di aspetto?
	È alto? Ha gli occhi verdi? Porta gli occhiali?
descrivere l'aspetto fisico di una persona	ALTEZZA È alto un metro e sessantatre (1.63).
	PESO È magro. / Pesa 67 chili.
	CAPELLI Ha i capelli biondi. / I capelli sono ricci. / È pelato.
	OCCHI Ha gli occhi chiari. / I suoi occhi sono scuri.
	NASO Ha il naso corto. / Il naso è all'insù.
	SOMIGLIANZA Somiglio a mia madre.
	Ha preso gli occhi chiari da suo nonno.
descrivere gradi di parentela	Ho tre fratelli.
	La mia sorella maggiore....
	I miei zii paterni...
parlare della scuola e degli studi	Ho fatto il liceo linguistico.
	Mi sono iscritto a Lingue.
	Ho fatto l'esame di maturità nel 1986.
	Mi sono laureata nel 1999.
	Ho preso un bel/brutto voto all'esame di matematica.
	Sono stato promosso/bocciato in terza media.
	La mia materia preferita era la storia.
augurare	Buon compleanno!
	Buon Natale e felice Anno nuovo.
	Auguri per un felice matrimonio.
	Congratulazioni a mamma e papà per la nascita di Andrea.
	Congratulazioni per la tua laurea!

Grammatica

Possessivi con i nomi di parentela

Normalmente gli aggettivi possessivi si usano con l'articolo:
- *la mia* scuola, *i miei* studi

Con i nomi di parentela:

senza articolo	con articolo
• AL SINGOLARE: *mio* padre, *tua* cugina **eccezione:** *il loro* zio	• AL SINGOLARE: se il nome di parentela è qualificato da altri aggettivi o suffissi: *la mia* sorella **maggiore**, *la tua* cugina **preferita**, *il mio* nonno **paterno**, *la tua* sorellina • AL PLURALE: *i suoi* fratelli, *i tuoi* cugini
Mamma, papà, nonno, nonna si possono usare senza o con articolo *mia* mamma	*la mia* mamma

Imperfetto (introduzione)

		imperfetto	
	studi-*are*	viv-*ere*	sent-*ire*
io	studi-**av**-**o**	viv-**ev**-**o**	sent-**iv**-**o**
tu	studi-**av**-**i**	viv-**ev**-**i**	sent-**iv**-**i**
lui/lei/Lei	studi-**av**-**a**	viv-**ev**-**a**	sent-**iv**-**a**
noi	studi-**av**-**amo**	viv-**ev**-**amo**	sent-**iv**-**amo**
voi	studi-**av**-**ate**	viv-**ev**-**ate**	sent-**iv**-**ate**
loro	studi-**av**-**ano**	viv-**ev**-**ano**	sent-**iv**-**ano**

Verbi irregolari

ESSERE   ero, eri, era, eravamo, eravate, erano
AVERE   avevo, avevi, aveva, avevamo, avevate, avevano

L'imperfetto è un tempo del passato usato per:

a. descrivere persone (stati fisici e psicologici), luoghi e condizioni generali; si usa tipicamente con verbi stativi, che non indicano un'azione ma uno stato, come *essere*, *avere*, *sapere*, *sembrare*, ecc.:

- *era* triste, *aveva* sonno, *faceva* freddo, *era* spaziosa e soleggiata

b. raccontare fatti passati che si ripetono con abitudine; di solito con espressioni come *ogni giorno*, *tutte le estati*, *sempre*:

- *Tutte le estati andavo* in Calabria a trovare i miei nonni.
- Di sera *uscivo sempre* con i miei amici.

U9, U10 → pag. 171, 190

Pronomi diretti e indiretti (sintesi)

	pronomi diretti (chi? che cosa?)	pronomi indiretti (a chi?)
	Paola invita (*chi?*) Roberto. →Paola **LO** invita.	Paola telefona (*a chi?*) a Roberto. →Paola **GLI** telefona.
io	**MI**	**MI**
tu	**TI**	**TI**
Lei (DI CORTESIA)	**LA**	**LE**
lui (Mario)	**LO**	**GLI**
lei (Maria)	**LA**	**LE**
noi	**CI**	**CI**
voi	**VI**	**VI**
loro (Mario e Ugo)	**LI**	**GLI/LORO** (Formale)
loro (Ada e Maria)	**LE**	

Forma di cortesia

- Signora Rossi, **La** invito al mio matrimonio.
- Signor Rossi, **La** invito al mio matrimonio.

- Signora Rossi, **Le** telefono più tardi.
- Signor Rossi, **Le** telefono più tardi.

sintesi

Terza persona plurale (pronomi indiretti)

- Se non vedo Mario e Ugo, **gli** telefono.
  Se non vedo Ada e Maria, **gli** telefono.

- Se non vedo Mario e Ugo telefono **loro**.
  Se non vedo Ada e Maria telefono **loro**. (stile formale; va dopo il verbo)

Accordo dei pronomi con il participio passato

accordo con il participio passato	
Con i tempi composti si deve accordare il participio passato con i pronomi diretti:	**Con i tempi composti** <u>non</u> si accorda il participio passato con i pronomi indiretti:
L'ho invitato al mio matrimonio. (Mario)	Gli ho telefonato. (a Mario)
L'ho invitata al mio matrimonio. (Maria)	Le ho telefonato. (a Maria)
Li ho invitati al mio matrimonio. (Mario e Ugo)	Gli ho telefonato. (a Mario e a Ugo)
Le ho invitate al mio matrimonio. (Ada e Maria)	Gli ho telefonato. (ad Ada e a Maria)
Carla, ieri ti ho vista. Ieri vi ho visti.	Carla, ieri ti ho telefonato.

Preposizioni

per
(durata, **per quanto tempo?**)

- Ho vissuto in Argentina **per** 6 anni.

di
(età, "**che ha... anni**")

- Ha una bambina **di** 4 anni e uno **di** 9.

Connettivi

anche se

- A scuola prendo dei bei voti in latino, **anche se** non mi piace.
- **Anche se** litigo sempre con mia sorella, le voglio molto bene.

Verrà proprio un bell'appartamento!

In questa unità impari a descrivere la tua abitazione; a descrivere oggetti e la loro collocazione; a parlare di progetti futuri; a descrivere situazioni ed eventi passati.

● **Dove abiti? Com'è la tua casa?**
Guarda queste foto e di' dove si possono trovare, in Italia, questi tipi di case (in città, in campagna, al Nord, al Sud).

condominio

cascina

villa a schiera

casa mediterranea

● **Collega i nomi alle stanze dell'appartamento.**

la cucina   il bagno
il soggiorno   la camera

trilocale + servizi

1. _____
2. _____
3. _____
4. _____

per capire

Sto cercando un trilocale

1ᵃ Con la classe. Se cercate casa e telefonate a un'agenzia, che informazioni chiedete?

CD 2 t. 23

1ᵇ Il signor Cavagna sta cercando casa. Ascolta la telefonata all'agenzia immobiliare. Scegli tra questi annunci le tre case che l'agente gli propone.

Annunci n°_____ ; _____ ; _____ .

Linea Casa propone

1. POMPEI
in casetta indipendente vendiamo bilocale autonomo con cucina abitabile, bagno, balcone. **Da vedere!**

2. NAPOLI
(*zona Poggioreale*) ampio trilocale termoautonomo, in piccolo condominio, ultimo piano, soggiorno con angolo cottura, 2 matrimoniali, bagno, balcone, **soli € 145.000.**

5. NAPOLI
stazione, tre locali ristrutturato, sala, cucina abitabile, due camere, bagno, 2 balconi, cantina, box, affare € 150.000 trattabili.

3. ERCOLANO
nel verde stupendo nuovo appartamento in villa, mq 95, soggiorno, cucina abitabile, due camere, 2 bagni, box e cantina, no spese condominiali, **da non perdere** € 170.000.

4. VILLETTA A SCHIERA
centrale, cucina, sala, due camere, doppi servizi, lavanderia, taverna, box doppio, ampio giardino, € 300.000.

1ᶜ Quale delle tre case decide di vedere il signor Cavagna? ....

1ᵈ Riascolta e indica l'alternativa corretta.

1. Il signor Cavagna vuole
   - ☐ a. un trilocale in una zona tranquilla con cucina abitabile
   - ☐ b. un trilocale in centro con doppi servizi
   - ☐ c. un trilocale fuori città con giardino e box

2. Il signor Cavagna vuole spendere
   - ☐ a. circa € 170.000
   - ☐ b. intorno ai 165.000 euro
   - ☐ c. più o meno € 150.000

3. Il signor Cavagna non è interessato alla prima proposta perché
   - ☐ a. ci sono due camere matrimoniali
   - ☐ b. la cucina non è abitabile
   - ☐ c. non c'è il garage

4. Al signor Cavagna non va bene la seconda proposta perché
   - ☐ a. l'appartamento è in un condominio vecchio
   - ☐ b. l'appartamento è in un condominio senza ascensore
   - ☐ c. l'appartamento non è nuovo e non ha la cantina

E2, 4 →

1ᵉ Associa domande e risposte.

Quanto vuole spendere?   Intorno ai 150.000 euro.

- ☐ 1. Quanto è grande l'appartamento?
- ☐ 2. E la zona com'è?
- ☐ 3. Come sono le camere?
- ☐ 4. Quanto è il costo dell'agenzia?
- ☐ 5. Quanti anni ha la casa?

a. Ha una decina d'anni.

b. Una è matrimoniale, l'altra singola.

c. Sono 93 mq più i balconi.

d. È un quartiere residenziale, in una zona verde a dieci minuti dal centro del paese.

e. Il 6% sul prezzo dell'appartamento.

E18 →

2ª **Leggi l'articolo e completa il riassunto che trovi sotto con le informazioni che ci sono nel testo.**

LA CASA IDEALE DEGLI EUROPEI

Per la prima volta è stato fatto uno studio in sei Paesi europei (Germania, Spagna, Italia, Francia, Polonia e Regno Unito) per stabilire quali sono le caratteristiche comuni e quali le differenze nel modo di intendere la casa ideale. Ecco alcuni dei risultati.

Anzitutto la Germania e la Spagna sono i due Paesi con il maggior numero di abitazioni nuove. Le case più grandi, invece, si trovano in Italia e hanno una superficie media di 92 metri quadrati. In Spagna e in Polonia l'80 per cento circa della popolazione abita in una casa di proprietà, ma anche in Italia (75%), in Francia e nel Regno Unito sono molti quelli che hanno comprato la casa in cui abitano. Invece gli italiani che vivono in case in affitto sono circa 11 milioni.

La casa ideale per il 60 per cento degli intervistati deve avere spazi aperti, desiderio che accomuna soprattutto i francesi, gli spagnoli e gli italiani. Per inglesi e polacchi, invece, è importante che la casa abbia ambienti ben separati, ciascuno con una specifica funzione.

Come vivono la propria abitazione gli europei?

Per molti europei, ma soprattutto per gli inglesi e gli italiani, la cucina è la stanza dove si fanno più attività; la camera da letto sembra invece essere l'ambiente preferito per l'uso del computer e per la lettura. La TV si trova generalmente in soggiorno o in cucina; i francesi sono gli unici ad ammettere di guardarla anche in camera da letto. Il divano è per tutti gli europei un pezzo d'arredo importante anche se destinato a usi differenti: per inglesi e tedeschi è infatti il luogo del relax, per gli italiani un letto provvisorio.

Le pareti delle abitazioni europee sono rivestite con carta da parati (in Germania, Francia e Regno Unito) o dipinte (in Italia, Spagna e Polonia). Per quanto riguarda i pavimenti, invece, Regno Unito e Francia preferiscono la moquette; Polonia e Germania il parquet; Italia e Spagna le piastrelle.

(adattato da http://www.arredamento.it)

I tedeschi e gli (1) _____ hanno molte case nuove, mentre gli italiani abitano in case più grandi (di (2) _____ metri quadrati in media).

Molti europei hanno comprato la loro casa: l'80% degli spagnoli e dei (3) _____ e il (4) _____ degli italiani.

Sono soprattutto i francesi, gli spagnoli e gli (5) _____ che desiderano avere spazi (6) _____ .

Quanto alle stanze della casa, sono soprattutto gli inglesi e gli italiani a passare molto tempo in (7) _____ . La (8) _____ è di solito in soggiorno e in cucina. Tra i pezzi d'arredamento che non possono mancare nelle case degli europei c'è il (9) _____ .

Per quanto riguarda la decorazione delle pareti gli italiani le (10) _____ , mentre per il pavimento usano soprattutto le (11) _____ (i tedeschi e i polacchi il parquet).

per capire

2b Rispondi a questo questionario sulla casa.

La tua casa

1. Abiti in una grande città, in un piccolo centro o in un paese? In centro, in periferia o in campagna? _____

2. Abiti in una casa nuova o vecchia? _____

3. Abiti in una casa piccola o grande? _____

4. Abiti in una casa di proprietà o in affitto? _____

5. Hai il giardino? _____

6. Qual è la stanza in cui passi più tempo durante il giorno? _____

7. Come sono le pareti della tua casa? (dipinte, tappezzate)
    _____

8. E il pavimento? (con le piastrelle, con il parquet o con la moquette)
    _____

9. Hai una "seconda casa" al mare, in montagna o al lago per il fine settimana o le vacanze ?
    _____

10. Nel tuo Paese c'è qualche usanza che si deve rispettare quando si entra in casa di qualcuno? (es. in Italia si chiede permesso)
    _____

Confronto fra culture
La casa

● Formate dei gruppi per Paese di provenienza e confrontate le risposte del questionario.
Ci sono delle caratteristiche comuni nelle case del vostro Paese?
Poi discutete con compagni di altre nazionalità.

Le stanze della casa

CD 2 t. 24

1ª Ascolta una prima parte della conversazione tra la signora Cavagna e una sua amica. Indica quale delle due piantine la signora Cavagna sta facendo vedere alla sua amica e scrivi il nome delle stanze.

1ᵇ Quali sono le stanze tipiche di una casa del vostro Paese?

1ᶜ Associa le parole alle definizioni.

l'ingresso   le scale   il corridoio   lo studio
la cantina   la sala da pranzo

1. locale interrato dove si mettono cose che si usano poco o cibi e bevande che devono stare al fresco: _____ .

2. la prima stanza che si trova quando si entra in casa: _____ .

3. servono per salire al piano di sopra: _____ .

4. stanza per lavorare o studiare: _____ .

5. stanza con un tavolo grande per mangiare quando ci sono ospiti: _____ .

6. di solito è lungo e collega diverse stanze della casa: _____ .

I mobili e gli oggetti della casa

CD 2 t. 25

2ª Ascolta la signora Cavagna mentre descrive alla sua amica come intende arredare il nuovo appartamento. Scrivi sulla piantina le parole che corrispondono ai disegni.

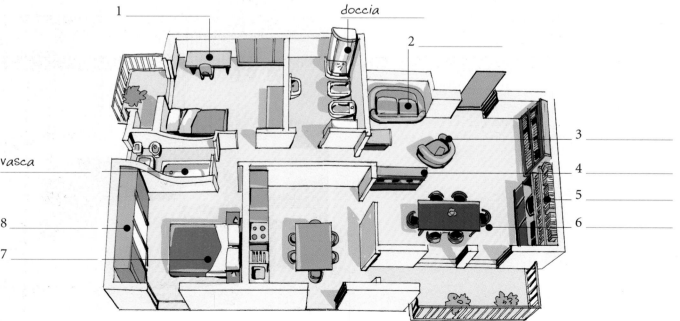

lessico

2ᵇ Metti questi mobili e oggetti nella stanza giusta.

1. la cucina a gas

2. il water

3. la lampada

4. il lavandino

5. la lavatrice

6. lo specchio

7. il bidet

8. la lavastoviglie

9. il tappeto

10. il quadro

11. la pattumiera

Soggiorno	Cucina	Bagno
il tappeto		

Se conosci altri nomi di oggetti/mobili aggiungili nelle stanze.

2ᶜ In coppia. Descrivete le stanze e i mobili della vostra casa.

E1,5 →

Le forme e i materiali

CD2 t.26

3ᵃ I signori Cavagna sono in un negozio d'arredamento e stanno discutendo su alcune cose che vogliono comprare per il loro nuovo appartamento. Ascolta e completa la tabella.

oggetto	forma	materiale
1. tavolo		
2.		metallo
3.		

3ᵇ Associa domande e risposte.

☐ 1. Che forma ha il vaso?   a. Saranno 100 metri quadrati.

☐ 2. È quadrato?   b. È a forma di bottiglia.

☐ 3. Quanto è lungo?   c. No, è rettangolare.

☐ 4. Di che materiale è?   d. 35 centimetri.

☐ 5. Quanto è grande?   e. È di ceramica.

lessico

3c In coppia. Usate questa griglia per descrivere gli oggetti. A turno ne scegliete uno e lo descrivete al vostro compagno, che deve indovinare qual è.

il colapasta   la caffettiera   il cavatappi   la teiera   le tende   il portacenere   il camino

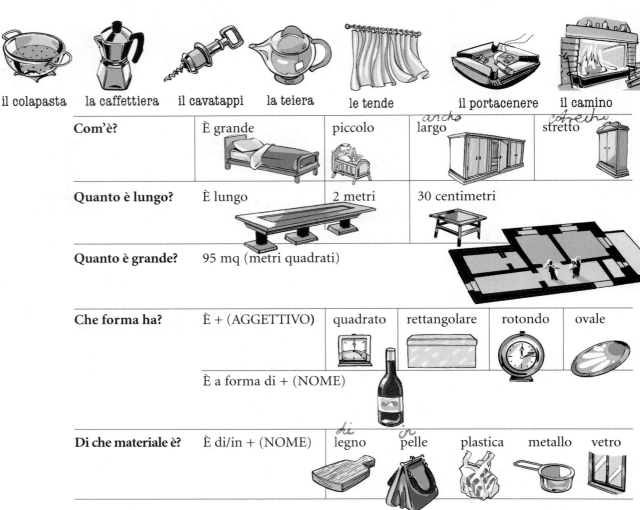

Com'è?	È grande	piccolo	largo	*archo* stretto *streho*
Quanto è lungo?	È lungo	2 metri	30 centimetri	
Quanto è grande?	95 mq (metri quadrati)			
Che forma ha?	È + (AGGETTIVO)	quadrato	rettangolare	rotondo	ovale
	È a forma di + (NOME)			
Di che materiale è?	È di/in + (NOME) *di* *in*	legno	pelle	plastica	metallo	vetro

3d In italiano molti oggetti della casa sono delle parole composte che si formano con un verbo + un nome:

(colare) **cola** + **pasta** → **il colapasta**
      VERBO   NOME

Confronto fra culture
Oggetti della casa

● Quali degli oggetti di questa pagina non mancano mai in una casa italiana? E nelle case del vostro Paese?

Associa i verbi della colonna A con i nomi della colonna B. Poi scrivi il nome giusto sotto ogni oggetto.

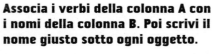

	A	B
☐	1. (lavare) lava	a. ombrelli
☐	2. (portare) porta	b. capelli
☐	3. (portare) porta	c. noci
☐	4. (portare) porta	d. stoviglie
☐	5. (asciugare) asciuga	e. uovo
☐	6. (schiacciare) schiaccia	f. candele

grammatica

Il futuro

fra 2 giorni + future.

Verrà proprio un bell'appartamento!

1a **Leggi questo pezzo della conversazione tra la signora Cavagna e la sua amica e sottolinea i verbi al tempo futuro (5 casi).**

● E la cucina? ← *we should*

○ Eh, <u>dovremo</u> cambiarla. Le misure di quella che abbiamo non vanno bene, mentre credo che terremo almeno il vecchio tavolo.

● Dovrete comprare anche la cameretta nuova, perché Marco adesso dorme ancora nella vostra stanza, vero?

○ Eh sì, abbiamo deciso di cambiare casa proprio perché qui dove siamo non c'è una camera per il bambino. La sua cameretta è l'unica che abbiamo già scelto: qui ci <u>andrà</u> il letto, vicino alla finestra la scrivania e qui una libreria per i libri e i giochi. Invece per la camera matrimoniale teniamo il nostro letto e i comodini e se ci rimarranno soldi <u>compreremo</u> l'armadio nuovo e forse una cassettiera.

1b **Osserva le desinenze del futuro dei verbi della 1ª coniugazione e ricostruisci le altre due coniugazioni completando la tabella.**

	futuro		
	compr-are	mett-ere *guardar*	fin-ire
io	compr-er-ò	mett-er-ò	fin-ir-ò
tu	compr-er-ai	metterai	finirai
lui/lei/Lei	compr-er-à	metterà	finirà
noi	compr-er-emo	mett-er-emo	finiremo
voi	compr-er-ete	metterete	finirete
loro	compr-er-anno	metteranno	finiranno

1c **Il futuro di alcuni verbi è irregolare. Osserva i verbi sotto e prova a capire dov'è l'irregolarità.**

tenere → terremo   rimanere → rimarranno

andare → andrà   dovere → dovremo

1d **Associa i significati d'uso del futuro alle frasi sotto.**

> a. azioni future non certe (di solito con *forse*, *penso che*, ecc.)
> b. esprimere l'intenzione di fare qualcosa (es. fare promesse, fare progetti)
> c. fare supposizioni che riguardano la situazione presente
> d. fare previsioni

☐ 1. Chi ha bussato alla porta? Sarà il postino. Di solito arriva a quest'ora.

☐ 2. Se ci rimarranno soldi compreremo l'armadio nuovo.

☐ 3. Qui penso che metteremo una credenza, ma non siamo sicuri.

☐ 4. Ti giuro che terrò in ordine la casa in tua assenza.

☐ 5. Questa primavera faremo pitturare la casa.

☐ 6. Nella vostra vita sentimentale farete degli incontri interessanti.

1e Coniuga i verbi al futuro.

1. Penso che (*comprare*-io)_____ le nuove tende all'Ikea.
2. Giovedì 23 maggio (*mancare*)_____ la corrente per un'ora, dalle 11 alle 12, per lavori all'impianto elettrico del condominio.
3. Ti giuro che non (*invitare*)_____ più i miei amici a casa nostra senza chiederti il permesso.
4. Se compriamo una casa più grande ti prometto che ti (*aiutare*)_____ a pulirla.
5. Se (*fare*)_____ bello, (*passare*-noi)_____ il Capodanno nella casa di montagna dei miei.
6. Oggi non ho avuto tempo di venire, mi dispiace. Le prometto che (*venire*)_____ domani a riparare la lavastoviglie.
7. (*Esserci*)_____ delle novità in amore. La salute (*migliorare*)_____ .

1f Trasforma le frasi al futuro usando le espressioni di dubbio che trovi tra parentesi.

In quest'angolo metto il divano. (forse) → Forse in quest'angolo metterò il divano.

1. Hanno comprato un appartamento e lo arredano con mobili nuovi. (*probabilmente*)
2. Traslochiamo il mese prossimo. (*penso che*)
3. Per pagare la casa Mario deve chiedere un mutuo alla banca. (*forse*)
4. In camera mia cambio solo l'armadio. (*probabilmente*)
5. Della vecchia cucina teniamo solo il tavolo e il frigorifero che hanno pochi anni. (*credo che*)
6. Nella camera dei bambini metto la scrivania vicino alla finestra e l'armadio di fronte. (*forse*)

E 8, 9, 10, 11, 12

1g Devi ristrutturare una vecchia casa. Questa è la piantina: disegnala su un foglio con i mobili e gli oggetti. Poi racconta a un compagno come hai intenzione di arredarla.

- Ci sarà un soggiorno grande e luminoso.
- Qui metterò un divano e...
- Probabilmente terrò la mia libreria perché mi piace ancora...

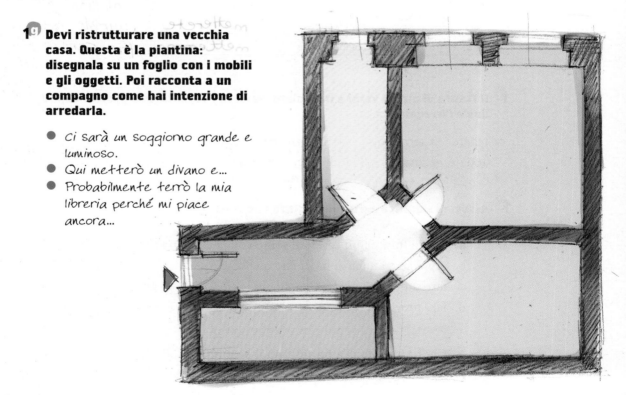

1h In coppia. Raccontate a un compagno i vostri programmi.

– Che cosa farai nel fine settimana?
– Dove andrai per le vacanze di Pasqua o di Natale o per quelle estive?

Le espressioni di luogo

2a **Monica ha cambiato casa e descrive a un'amica come arrederà il soggiorno. Guarda il disegno e completa le frasi con le espressioni di luogo.**

In mezzo alla stanza ma vicino alla finestra ci sarà un divano.

1. _____ divano ci andrà una credenza lunga e bassa.

2. _____ la credenza ci sarà la televisione _____ il videoregistratore e lo stereo.

3. _____ la credenza metterò il servizio di piatti, bicchieri e tazze.

4. _____ la credenza vorrei mettere qualche quadro.

5. _____ divano sulla destra metterò una poltrona.

6. _____ divano ci andrà un tavolone rettangolare.

7. _____ il tavolo metterò un tappeto moderno.

8. _____ ci sarà una piccola libreria.

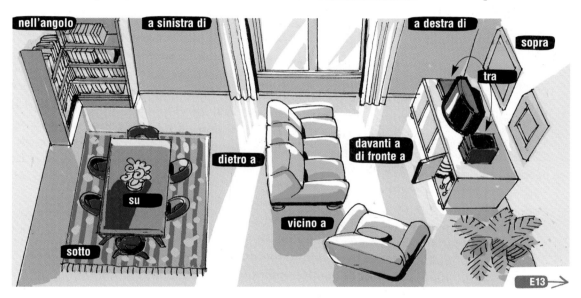

E13 →

2b **In coppia. Descrivete a turno a un compagno dove sono gli oggetti sul disegno che vi darà l'insegnante (appendice). Il vostro compagno dovrà collocare gli oggetti al posto giusto sul disegno della cucina che c'è sotto.**

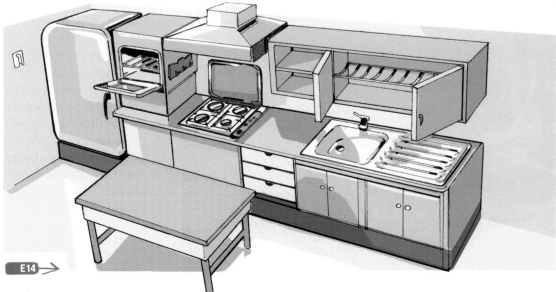

E14 →

2c In gruppi. Dove si trovano questi mobili e oggetti a casa vostra?

la televisione	le scarpe	i CD	la lavatrice
i tuoi libri	le scope	le valigie	la tua scrivania

Nella mia casa il telefono è nel corridoio su un tavolino davanti alla libreria.

L'imperfetto

3a Leggi questa lettera e indica l'alternativa corretta.

Caro Saverio,

Ti scrivo per sfogarmi un po' e per chiederti un consiglio visto che sei avvocato. Ieri sera è successa una tragedia! Non esagero. Rientravo da una cena con i miei colleghi verso le undici e come al solito sono entrata nel cortile per parcheggiare, ma nel mio posto-auto c'era una Opel Astra grigia. Il cortile era pieno di macchine, non c'era un posto libero. Allora ho messo la mia macchina vicino al muro del condominio, anche se lì non si poteva parcheggiare. Mentre salivo le scale ho incontrato un mio vicino di casa che mi ha detto che il cortile era occupato perché i figli dei Rossi stavano facendo una festa di compleanno. Allora sono salita al terzo piano dove abitano per chiedere se l'Opel Astra grigia che occupava il mio posto era di qualcuno e se potevano spostarla. Loro sono stati molto gentili, si sono scusati e poi mi hanno invitata a bere qualcosa. C'era una bella atmosfera, molti ragazzi giovani che ballavano e ridevano e così ho deciso di fermarmi anch'io un po'. Chiacchieravo con il festeggiato quando abbiamo sentito una terribile esplosione che veniva proprio dal cortile. Mi sono affacciata alla finestra e ho visto la mia macchina che bruciava. Mentre aspettavamo i vigili del fuoco abbiamo provato a spegnere l'incendio con la pompa dell'acqua, ma quando sono arrivati la macchina era completamente bruciata e il muro del condominio tutto annerito dal fumo!

Ora dovrò ricomprare la macchina e dovrò, penso, pagare i danni per il muro danneggiato dal fuoco. Vorrei sapere il tuo parere proprio su questo punto: devo o no pagare? Io ho dovuto parcheggiare la mia macchina vicino al muro perché il mio posto-auto era occupato. Rispondimi appena puoi!

Un abbraccio dalla tua sorellina (in questo momento un po' disperata!)

Lory

V F

1. Il posto auto di Lory era occupato da un'altra macchina. ☐ ☐
2. Lory ha parcheggiato l'auto per strada. ☐ ☐
3. Nella casa dei Rossi c'era una festa di compleanno. ☐ ☐
4. Lory ha sentito il rumore di un'esplosione mentre era a casa sua. ☐ ☐
5. La macchina dei signori Rossi ha preso fuoco. ☐ ☐
6. Il fumo dell'incendio ha sporcato il muro del condominio. ☐ ☐
7. Lory ha chiesto a Saverio se dovrà pagare i danni per il muro. ☐ ☐

grammatica

3b **Gli imperfetti sottolineati nelle frasi sotto sono usati con una di queste funzioni. Quale?**

> a. descrivere stati fisici e psicologici   ⊡
> b. raccontare fatti che si ripetono   ∿→
> c. raccontare azioni passate in corso (già iniziate)   ...→...

– Mi sono affacciata alla finestra e ho visto la macchina che <u>bruciava</u>.

– Mentre <u>salivo</u> le scale ho incontrato un mio vicino di casa.

– Mentre <u>aspettavamo</u> i vigili del fuoco abbiamo provato a spegnere l'incendio con la pompa dell'acqua.

Nella 2ª e 3ª frase c'è un verbo all'imperfetto e uno al passato prossimo. Quale indica la situazione e quale il fatto che è successo?

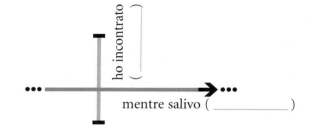

3c **Completa le frasi scegliendo tra l'imperfetto e il passato prossimo.**

INCIDENTI IN CASA!!!!

1. Mentre (*uscire*-io) _____ dalla doccia (*scivolare*) _____ .

2. Mentre (*lavare*-io) _____ i piatti (*rompere*) _____ un bicchiere e (*ferirsi*) _____ .

3. Mentre Gina (*mettere*) _____ le tende (*cadere*) _____ dalla scala e (*farsi male*) _____ a una gamba.

4. Mentre Lucio (*scolare*) _____ la pasta (*scottarsi*) _____ con l'acqua calda, così (*andare*) _____ al Pronto Soccorso.

5. Mentre Giulia (*pelare*) _____ le patate (*tagliarsi*) _____ .

6. Mentre mio marito (*appendere*) _____ un quadro (*martellarsi*) _____ un dito.

7. Due sere fa mentre Luisa (*stirare*) _____ una camicia (*scottarsi*) _____ .

8. Ieri mattina mentre (*fare*) _____ colazione (*rovesciarsi*) _____ addosso una tazza di tè caldo.

3d **L'imperfetto si usa anche per indicare due azioni in corso che sono parallele come in:**

1) Mentre stiravo ... → ...
   guardavo la televisione. ... → ...

2) Mentre mio marito lavava i piatti
   io pulivo la cucina.

Guarda i disegni e racconta che cosa ha fatto domenica scorsa la famiglia Togni.

3e **Trasforma questo racconto dal presente al passato. Le icone tra parentesi ti aiutano a scegliere il passato prossimo o l'imperfetto:**

Passato Prossimo	(azioni iniziate e finite)	⊢⊣
Imperfetto	(descrizione di stati)	⊡
	(azioni passate in corso)	... → ...
	(azioni ripetute)	～～→

CHE SORPRESA!!!

Durante il periodo di Natale io e mia moglie *decidiamo* (⊢⊣) (1) _____ di fare una
vacanza di qualche giorno a Roma. *Partiamo* (⊢⊣) (2) _____ noi due soli e *lasciamo*
(⊢⊣) (3) _____ i figli a casa. Tutti i giorni li *chiamiamo* (～～→)
(4) _____ per sapere come *stanno* (⊡) (5) _____ .
Dopo tre giorni mia moglie *decide* (⊢⊣) (6) _____ di tornare perché (⊡)
(7) _____ sicura che i ragazzi *hanno* (⊡) (8) _____ nostalgia e *sono* (⊡)
(9) _____ tristi. – Facciamogli una sorpresa – *dice* (⊢⊣) (10) _____ lei.
Ci *mettiamo* (⊢⊣) (11) _____ in viaggio e *arriviamo* (⊢⊣) (12) _____ a
casa la sera alle dieci. *Bussiamo* (⊢⊣) (13) _____ e mio figlio, abbracciato a una
ragazza, *viene* (⊢⊣) (14) _____ ad aprire. – Ma che sorpresa! – *dice* (⊢⊣)
(15) _____ con una faccia imbarazzata, per niente contento di vederci. *Entriamo* (⊢⊣)
(16) _____ e *vediamo* (⊢⊣) (17) _____ la casa piena di ragazzi che *ballano*
(... → ...) (18) _____ . Altri *bevono* (... → ...) (19) _____, *ridono* (... → ...)
(20) _____ e *mangiano* (... → ...) (21) _____ seduti per terra. – Scusateci –
diciamo (⊢⊣) (22) _____ – Torniamo domani !

Durante il periodo di Natale io e mia moglie abbiamo deciso _____ **E 16** →

pronuncia

I suoni [ɲ] (*bagno*) e [n] (*nano*)

🔘 **CD** 2 t.27

1ª Ascolta come si pronunciano queste parole che hanno il suono [ɲ].

cognac   bagno   legno   signore   campagna   cagnolino

🔘 **CD** 2 t.28

1ᵇ Ascolterai ogni volta 2 parole. Scrivi una X quando senti il suono [ɲ] come in signore.

	1.	2.	3.	4.	5.	6.	7.	8.
A								
B								

🔘 **CD** 2 t.29

1ᶜ Ascolta di nuovo le parole e ripetile.

I suoni [m] (*metro*) e [n] (*naso*)

🔘 **CD** 2 t.30

2ª Ascolterai ogni volta una parola ripetuta 2 volte. Fai una X sulla prima colonna quando nella parola senti prima il suono [m] e poi il suono [n] come in *minuti*; fai una X sulla seconda colonna quando nella parola senti prima il suono [n] e poi il suono [m] come in *economico*.

[m] – [n] Minuti	[n] – [m] ecoNomico		[m] – [n] Minuti	[n] – [m] ecoNomico
1. _____		5.	_____	
2. _____		6.	_____	
3. _____		7.	_____	
4. _____		8.	_____	

E 19 →

2ᵇ Leggi queste parole. Sottolinea che lettera c'è prima delle ‹p› e ‹b› e completa la regola nel box.

computer	ampio	ambiente
Pompei	imperfetto	complimenti
sembra	dicembre	imbianchino

In italiano prima di ‹p› e ‹b› c'è sempre la lettera ‹____›; esiste solo la sequenza ‹____ b› ‹____ p›; la sequenza ‹n̶b̶› ‹n̶p̶› non esiste.

🔘 **CD** 2 t.31

2ᶜ Ascolta e completa le parole con le lettere mancanti scegliendo tra ‹gn›, ‹n›, ‹m›.

1. Ho cotto le lasa ____ e nel for ____ o.
2. Abbia ____ o biso ____ o di passare una setti ____ ana in campa ____ a dai ____ ostri a ____ ici.
3. Che cosa hai appeso al ____ uro?
4. Ha ____ no co ____ prato un ____ uovo apparta ____ e ____ to in monta ____ a.
5. Co ____ pli ____ e ____ ti, Si ____ ora ____ occhi, ha a ____ mobiliato la sua ma ____ sarda ____ olto be ____ e.
6. Il dito più piccolo della ma ____ o è il ____ i ____ olo.
7. Vie ____ i alla lava ____ a a co ____ pletare le frasi.

E 20 →

1 In agenzia.

In coppia. Studente A: cliente; Studente B: agente immobiliare.
Il cliente legge l'annuncio e telefona all'agenzia per avere informazioni sulla casa. L'agente legge la scheda in appendice e risponde cercando di convincere il cliente.

STUDENTE A

Studio Casa
A pochi minuti da Salerno nuovissima VILLA SINGOLA su un unico livello, ampio giardino esclusivo, doppio box, finiture particolari.

Potete aiutarvi con le espressioni sotto.
Chiedere e dare informazioni su una casa da comprare o affittare:

- Sto cercando un bilocale... avete qualche proposta?
- Sì, certo, abbiamo...

- In che zona si trova?
- In centro/in periferia/in una zona tranquilla.

- Com'è composto l'appartamento? Che stanze ci sono?
- Soggiorno, cucina, due camere...

- c'è l'ascensore...?
- Sì. / No, purtroppo. / No, ma...

- Quanto costa?
- (Intorno ai) 100.000 euro.

- Quant'è il costo dell'agenzia?
- Il 6% sul prezzo della casa. Lo/la vuole vedere?

- Sì. / No, perché...

2 La mia stanza preferita.

Qual è per te la stanza più importante della casa e perché? Descrivila a un compagno.

produzione libera

3 Progetti futuri.

È il 1° di gennaio. È tempo di fare progetti per l'anno nuovo.
Pensa ai campi nella tua vita in cui puoi fare
dei cambiamenti.

**Poi in coppia raccontatevi le vostre intenzioni
per l'anno nuovo.**

Studi. Farò gli ultimi esami e poi
preparerò la tesi...

4 Scambio di case.

Hai deciso di fare uno scambio di appartamento con Vito, uno studente italiano
che verrà per un anno nella tua città. Vito ti ha scritto per chiederti informazioni
sulla tua casa. Rispondi.

> Carola ...
> Mancano due mesi alla partenza. Puoi darmi qualche informazione sulla tua
> casa? In che zona si trova? È una casa indipendente o un appartamento? Ha il
> giardino? Com'è all'interno? Ci sono la lavatrice e il PC? Potrò usare il
> telefono? E quanto sarà l'affitto al mese? Rispondimi presto e dammi anche
> altre informazioni che possono essermi utili.
> Un caro saluto
>   Vito

sintesi

Funzioni

esprimere l'intenzione di fare qualcosa / fare progetti	Ho deciso/penso di cambiare casa. In primavera faremo pitturare l'appartamento. (FUTURO) La prossima settimana andiamo a comprare la cucina. (PRESENTE) Vorrei affittare una casa al mare.		
esprimere dubbi	Forse/probabilmente traslochiamo/traslocheremo la settimana prossima.		
fare promesse	Ti prometto/ti giuro/ti assicuro che ti aiuterò a pulire la casa.		
fare previsioni	In amore sarete fortunati: troverete il vostro partner ideale.		
fare supposizioni	Che bell'armadio! Quanto costerà? Eh verrà sui 5000 €! (FUTURO)		
chiedere e dare il permesso di entrare	Permesso? / Si può? / Posso entrare? Avanti! / Prego! / Si accomodi. / Accomodati.		
chiedere e dare informazioni su	**misura**	Com'è? Quanto è lungo? Quanto è grande?	È grande/piccolo. È lungo 2 metri/centimetri. 95 mq (metri quadrati)
	forma	Che forma ha?	È + (AGGETTIVO) quadrato/È a forma di + (NOME) bottiglia.
	materiale	Di che materiale è? Di che cosa è fatto	È di/in + (NOME) legno.

Grammatica

Futuro

	compr-are	mett-ere	fin-ire
io	compr-er-ò	mett-er-ò	fin-ir-ò
tu	compr-er-ai	mett-er-ai	fin-ir-ai
lui/lei/Lei	compr-er-à	mett-er-à	fin-ir-à
noi	compr-er-emo	mett-er-emo	fin-ir-emo
voi	compr-er-ete	mett-er-ete	fin-ir-ete
loro	compr-er-anno	mett-er-anno	fin-ir-anno

- La vocale tematica dei verbi della 1ª coniugazione non è la -a (comprarò) ma la -e (comprerò) come per i verbi della 2ª coniugazione (metterò).
- I verbi in -care e -gare prendono una *h* in tutte le persone (cercherò, pagherai).
- I verbi in -ciare e -giare perdono la *i* in tutte le persone (comincerò, mangerò).

Verbi irregolari

ESSERE	sarò, sarai, sarà, saremo, sarete, saranno
AVERE	avrò, avrai, avrà, avremo, avrete, avranno
DARE	darò, darai, darà, daremo, darete, daranno
FARE	farò, farai, farà, faremo, farete, faranno
STARE	starò, starai, starà, staremo, starete, staranno

Verbi che perdono la vocale tematica

ANDARE (anderò)	andrò
POTERE	potrò
DOVERE	dovrò
SAPERE	saprò
VEDERE	vedrò
VIVERE	vivrò

Verbi che cambiano la radice

BERE	berrò
RIMANERE	rimarrò
TENERE	terrò
VENIRE	verrò
VOLERE	vorrò

Usi

CAN USE PRESENT.

Per parlare di azioni future non è obbligatorio l'uso del tempo futuro, si usa spesso il **presente**:

- Il 26 maggio *traslochiamo*.
- Il mese prossimo *parto* per le Maldive.

Il futuro si usa per

a. parlare di azioni future incerte (si trova spesso con espressioni di dubbio come *forse, probabilmente, penso che, se*):
- Questa primavera forse *faremo* pitturare la casa.
- Qui penso che *metteremo* una credenza.
- Se ci rimarranno soldi *compreremo* l'armadio nuovo.

b. esprimere l'intenzione di fare qualcosa:

fare progetti   • *Partiremo* alle dieci.
fare promesse   • Ti prometto che *sarò* sempre fedele.

c. fare previsioni (per es. nell'oroscopo):
- Nella vostra vita sentimentale *farete* degli incontri interessanti.

d. fare supposizioni che riguardano la situazione presente (cfr. Unità 7):
- Non trovo più le chiavi.
- Le *avrai* nella borsa. (= probabilmente le hai)

sintesi

L'imperfetto (alcuni usi)

L'**imperfetto** è un tempo del passato. Esprime un'azione "imperfetta", un'azione in corso, come una ripresa con una videocamera.

Il **passato prossimo** invece esprime un'azione "perfetta" con un inizio e una fine, come uno scatto di una fotografia.

L'imperfetto si usa per:

1. ... → ...
azioni in corso (già iniziate e che continuano), di cui non si vede l'inizio e la fine.

- *C'era* una bella atmosfera, molti ragazzi che *ballavano* e *ridevano*.
  (i ragazzi ballavano già prima e hanno continuato a ballare)

1a ... → ..
   ... → ..
azioni in corso parallele (di solito con *mentre*).

- Mentre *facevo* colazione *ascoltavo* la radio.

1b ⎯⎯|⎯⎯→
un'azione già cominciata (la situazione) in opposizione al passato prossimo che indica un'azione iniziata e finita (il fatto successo).

- Mentre *passeggiavo*   ho incontrato Sandro.
  (situazione: quando?)   (fatto: che cosa è successo?)

- Mentre *facevo* la doccia è suonato il telefono.

Composti verbo+nome

(asciugare) **asciuga** + **capelli** → **l'asciugacapelli**

Molti sono con il verbo *portare*:
il portacenere, il portaombrelli, il portauovo, il portacandele

Altri:
(lavare) la lavastoviglie
(scolare) lo scolapasta
(schiacciare) lo schiaccianoci
(cavare) il cavatappi

Dossier cultura

La popolazione

1ᵃ Rispondi alle domande e confrontati con la classe.

1. L'Italia ha una superficie di 301.230 Km². Il tuo Paese è più grande o più piccolo dell'Italia? Di quanto?
2. Quali sono le città più popolose del tuo Paese? E il posto dove abiti tu è grande o piccolo?

1ᵇ Prima di leggere il testo, osserva queste foto. Poi leggi il testo e svolgi le attività che seguono.

Nel 1861, anno dell'Unità d'Italia, la popolazione italiana era di 26 milioni di abitanti, nel 1961 di 50 milioni, oggi di 57 milioni circa. Le famiglie italiane sono circa 22 milioni e il numero medio di persone per famiglia è meno di 3 (2,6).

Una caratteristica della popolazione italiana è la forte presenza di persone anziane: sono più le persone con 65 anni che quelle con meno di 14 anni. Questa tendenza è dovuta a due motivi: anzitutto il numero medio di figli per donna è via via diminuito dagli anni Sessanta e oggi è meno di due figli (1,29); in secondo luogo la durata media della vita oggi si è molto allungata (83 anni per le donne e 77 per gli uomini).

La densità della popolazione è tra le più alte dell'Europa: 190 abitanti per chilometro quadrato (nel 2003). Ma la distribuzione è irregolare: si passa dai 421 ab/Km² della Campania, dai 382 ab/Km² della Lombardia, dai 299 ab/Km² del Lazio ai 37 ab/Km² della Valle d'Aosta, ai 60 ab/Km² della Basilicata, ai 70 ab/Km² del Trentino Alto-Adige.

Quasi il 70% della popolazione italiana è urbana, il 10% circa vive in territori montani, anche se questi sono più di un terzo della superficie nazionale.

Dagli anni Cinquanta in poi molti italiani che vivevano in zone di campagna o montuose si sono spostati verso le città che potevano offrire maggiori occasioni di lavoro e migliore qualità della vita. Così nelle tre città più popolose, Roma (con due milioni e mezzo di abitanti), Milano e Napoli (con più di un milione), si sono accentrate le attività economiche e le aree metropolitane sono molto cresciute.

Tuttavia negli ultimi decenni, a causa della concentrazione urbana, del traffico e dell'aria inquinata, molti italiani scelgono di vivere in piccoli centri e addirittura in campagna: da un'indagine risulta infatti che le città preferite dagli italiani sono le piccole città del Centro Italia.

1ᶜ Completa la tabella.

Anni 2000	
popolazione	
numero famiglie	
media componenti per famiglia	
fecondità (n. di figli per donna)	
densità media della popolazione	
le tre città con più abitanti	
% popolazione che vive in città	

1ᵈ Cerca sulla cartina dell'Italia all'interno della copertina:

- le due regioni più popolose _____
- le due meno popolose _____

1ᵉ Scegli tra le informazioni che trovi sotto quelle che sono presenti nel testo che hai letto.

☐ 1. In Italia ci sono più giovani che vecchi.

☐ 2. In Italia si fanno meno figli di prima.

☐ 3. La popolazione italiana è distribuita in modo regolare sul territorio.

☐ 4. La maggioranza della popolazione italiana vive in montagna.

☐ 5. In Italia ci sono poche città con più di un milione di abitanti.

☐ 6. Per molti decenni la popolazione si è spostata a vivere e a lavorare nelle grandi città.

☐ 7. Oggi c'è la tendenza ad allontanarsi dalla città per andare a vivere nei piccoli centri.

2ᵃ Guarda queste foto. Che realtà rappresentano? Qual è il periodo storico?

1

2

2ᵇ Leggi questi due testi e associali alle foto sopra.

☐

Dall'inizio del secolo al 1915 sono emigrati più di 8-9 milioni di italiani, prima nei Paesi industriali europei (Francia, Belgio, Svizzera, Germania) e poi nelle Americhe. Gli italiani emigrati erano originari soprattutto della Puglia, della Campania, della Sicilia, della Calabria e del Veneto. Ci sono poi state successive ondate migratorie fino alla fine degli anni Sessanta.

Negli stessi anni c'è stata anche molta emigrazione interna: molti italiani che vivevano in aree povere del Sud Italia si sono spostati in cerca di lavoro verso le grandi città del Centro (Roma) e del Nord (Milano e Torino).

☐

Il numero di immigrati stranieri (regolari e irregolari) presenti in Italia è di circa 2.500.000, pari al 4,2% della popolazione totale. Questo dato è in aumento, ma è ancora tra i più bassi in Europa. La principale comunità straniera in Italia è quella marocchina, seguita dalle comunità albanese, filippina, romena, cinese, tunisina, serba, senegalese ed egiziana.

2ᶜ Scegli la risposta più appropriata.

1. Il primo testo parla

☐ a. di emigrazione degli Italiani in Europa e in America

☐ b. di emigrazione degli Italiani all'estero e all'interno dell'Italia

☐ c. di immigrazione degli stranieri in Italia

2. Gli Italiani sono emigrati in cerca di lavoro

☐ a. all'estero soprattutto all'inizio del Novecento

☐ b. all'estero, prima nelle Americhe e poi nei paesi ricchi dell'Europa

☐ c. all'interno dell'Italia, dal Nord verso il Sud

3. Oggi

☐ a. l'Italia è il paese europeo con il più alto numero di immigrati stranieri

☐ b. in Italia ci sono pochi milioni di stranieri

☐ c. gli immigrati regolari sono il 4,2% della popolazione italiana

Come stai?

In questa unità impari a parlare della tua salute e dei principali disturbi e rimedi, e a chiedere o dare consigli. Rivedi anche l'uso dei pronomi e dei tempi del passato.

per cominciare

● **Associa immagini e nomi.**

1. ospedale
2. Pronto Soccorso
3. studio medico/ambulatorio
4. farmacia
5. ricetta medica
6. medicine

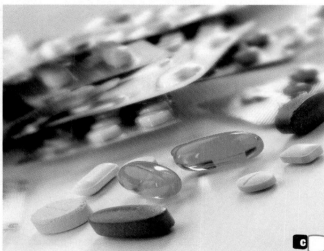

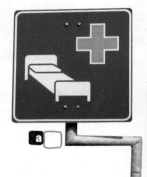

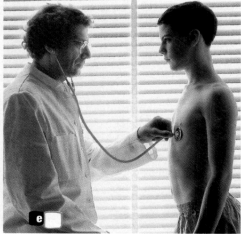

Cosa c'è? Non ti senti bene?

per capire

1a Quali di queste abitudini sono positive per la salute? Quali invece sono negative?

☺ ☹

1. mangiare frutta e verdura ☐ ☐
2. bere alcolici ☐ ☐
3. fare sport ☐ ☐
4. bere molta acqua ☐ ☐
5. fumare ☐ ☐

☺ ☹

6. passeggiare all'aria aperta ☐ ☐
7. mangiare molti dolci ☐ ☐
8. coprirsi troppo ☐ ☐
9. bere caffè ☐ ☐
10. dormire regolarmente ☐ ☐

CD2 t.32

1b Ascolta il dialogo e rispondi.

1. Dov'è Paolo?
   ☐ a. al bar
   ☐ b. al lavoro
   ☐ c. dal medico

2. Paolo oggi ha
   ☐ a. mal di testa e mal di stomaco
   ☐ b. l'influenza
   ☐ c. mal di schiena

3. Paolo
   ☐ a. va troppo spesso in palestra
   ☐ b. lavora troppo
   ☐ c. mangia troppo

4. Paolo
   ☐ a. ha deciso di andare dal medico
   ☐ b. vuole iscriversi a una palestra
   ☐ c. ha bisogno di qualche giorno di vacanza

1c Riascolta il dialogo e scrivi almeno 2 consigli che hanno dato a Paolo il medico o la sua collega. Poi confrontati con un compagno.

I consigli del medico:

_____

_____

_____

_____

I consigli della collega:

_____

_____

_____

_____

E1 →

Aria di influenza? Ecco la farmacia verde.

di Laura D'Orsi

2ª Leggi l'articolo e rimetti i titoletti sopra ciascun paragrafo.

1. Dopo un colpo di freddo
2. Se c'è un'infiammazione
3. Per il mal di gola
4. Contro la febbre e l'influenza

Ci sono prodotti naturali che possono curare dolori, mal di gola e raffreddore. Qui ti diciamo quali sono i più efficaci.

Tosse, raffreddore, mal di gola e tutti i malanni scatenati dai primi freddi si possono curare molto bene con i rimedi naturali. Ecco quali sono i più efficaci, da tenere nel tuo armadietto dei medicinali: in più, potrai usarli per alleviare altri sintomi, come il mal di pancia, il mal di testa o i dolori alle ossa.

La *Salix Alba* è il corrispondente vegetale della comune aspirina. "A differenza delle pastiglie, però, non è irritante per lo stomaco" dice Alessandro Targhetta, medico esperto in terapie naturali. "Contro l'influenza si prendo-

no 50 gocce tre volte al giorno".
Tra i rimedi omeopatici invece la *Belladonna* è il più usato per la febbre. "Si prendono cinque granuli ogni due ore" suggerisce Targhetta. "Alle stesse dosi, è efficace anche contro il mal di testa e quando si ha un attacco di mal di denti".

Un altro rimedio da avere sempre in casa è *Nux Vomica*. "È il primo medicinale da utilizzare quando compaiono i sintomi del raffreddore" consiglia Targhetta. "Se dopo un colpo di freddo, la mattina ci si sveglia con il naso che cola e si starnutisce continuamente, bisogna iniziare prima possibile a prendere cinque granuli di questo rimedio ogni ora. Quando i sintomi migliorano, si può passare a tre volte al giorno". *Nux vomica* è utile anche per gli attacchi di colite o i bruciori di stomaco dovuti allo stress o a una dieta disordinata.

Tra i rimedi verdi, l'*Arnica Montana* è il più potente antinfiammatorio. Allevia i dolori alle ossa tipici dell'influenza. Inoltre è utilissimo per traumi e fratture: in questi casi, oltre ad assumere il rimedio per bocca, si può applicare localmente la pomata di Arnica, due o tre volte al giorno.

Il mal di gola si combatte bene con la resina prodotta dalle api, che è un ottimo antibiotico naturale. La propoli si può usare per fare dei gargarismi due, tre volte al giorno, mettendo 10 gocce in due dita d'acqua. Sono in commercio anche diversi sciroppi a base di propoli, utili per curare le malattie da raffreddamento.

(adattato da "Donna moderna", 12/10/2004)

2ᵇ Scrivi per quali disturbi sono indicati i diversi rimedi.

rimedio	disturbi
1. Salix Alba	
2. Belladonna	
3. Nux Vomica	
4. Arnica	
5. Propoli	

per capire

2^c **Scrivi il nome delle parti del corpo. Poi associa a ogni parte del corpo i nomi di questi disturbi.**

raffreddore   tosse
mal di pancia   mal di testa
mal di denti   colite
frattura   mal di gola

pancia
colite

2^d **Associa le parole evidenziate nel testo con le parole della colonna B che hanno lo stesso significato.**

A	B
☐ 1. malanni	a. cure
☐ 2. efficaci	b. prendere
☐ 3. medicinali	c. quantità
☐ 4. terapie	d. medicine
☐ 5. dosi	e. utili
☐ 6. assumere	f. disturbi

3^a **Il sondaggio. Leggi l'articolo e completa la tabella.**

GLI ITALIANI
E LE MEDICINE ALTERNATIVE

Sono chiamate in mille modi: medicine alternative, complementari, verdi, naturali o dolci. Secondo un'indagine, il 65% degli italiani le conosce, l'8% le pratica, il 9% dice di sapere che cosa sono ma preferisce la medicina ufficiale, il 48% le conosce poco e il 35% non ne ha mai sentito parlare. Nella classifica delle preferenze, il primo posto spetta all'omeopatia (58%), seguita da agopuntura (36%) e fitoterapia (16). Merito del successo? La convinzione che queste cure, a differenza di quelle con i farmaci, non possano intossicare l'organismo.

(adattato da "Corriere salute", 19/10/2003)

QUANTI LE CONOSCONO?

Lei ha sentito parlare, conosce o utilizza medicine non convenzionali o alternative? Scelga fra le risposte seguenti quella che riflette meglio la sua posizione.

Non ne ha mai sentito parlare, non ne sa nulla	_____ %
Ne ha sentito parlare, ma le conosce poco	_____ %
Le conosce abbastanza ma non le utilizza	_____ %
Le conosce abbastanza/molto bene e le utilizza	_____ %

Confronto fra culture
Curarsi

● Anche nel tuo Paese queste cure sono considerate "alternative" alla medicina ufficiale?

● Sono più o meno diffuse che in Italia?

● E tu, quali cure scegli quando sei malato?

3^b **Elenca le medicine alternative citate nell'articolo.**

1. _____
2. _____
3. _____

E2,3 →

Curarsi

1a Completa con:

| mal di stomaco | mal di testa | raffreddore | febbre |
| tosse | mal di gola | male al piede | influenza |

1. Oggi preferisco non pranzare: ho _____ perché ieri sera sono andato al ristorante e ho mangiato troppo.
2. Sei tutto bagnato! Metti dei vestiti asciutti, altrimenti ti prenderai un _____ !
3. Credo di avere l' _____ : ho 39 di _____ e un forte _____ .
4. Non posso giocare a pallone. Ieri sono caduto sciando e mi sono fatto _____ .
5. Ieri in piscina ho preso freddo e così oggi ho la _____ e il _____ .

1b Che cosa serve quando una persona è malata? Associa immagini e nomi.

1. sciroppo	5. pastiglie
2. gocce	6. pomata
3. iniezione	7. termometro
4. cerotti	8. massaggio

1c Completa le frasi con le parole dell'esercizio precedente.

1. Quando ho mal di testa, prendo una _____ di aspirina.
2. Mi sono tagliato con il coltello del pane: mi dai un _____ ?
3. Non prendo medicine: quando ho mal di schiena vado a fare dei _____ .
4. Per curare il mal di gola prendi dieci _____ di propoli in un bicchier d'acqua.
5. Non so se ho la febbre: ho rotto il _____ e non posso provarla.
6. Che tosse! Prendi un cucchiaio di questo _____ . È miracoloso!
7. Mio figlio ha la polmonite: tutti giorni deve fare un' _____ di antibiotico.
8. Mi sono scottata un dito: abbiamo in casa una _____ per le scottature?

E4, 7 →

Parlare della salute

CD 2 t. 33

2a Ascolta i dialoghi. Dove si svolgono? Qual è il problema della persona che parla? Quali sono i consigli del medico o del farmacista?

	disturbi/problemi	consigli e terapie
Dialogo n. 2 : in farmacia		
Dialogo n. : in ospedale		
Dialogo n. : dal medico		
Dialogo n. : al Pronto Soccorso		

2b Riascolta i dialoghi e scrivi le domande usate per chiedere informazioni sulla salute di qualcuno e le possibili risposte.

_____

_____

2c Mi fa male o mi sono fatto male?

Mi fa male la schiena.
(= Ho mal di schiena)

Mi sono fatto male alla mano.

Che cosa dicono queste persone al medico?

E5, 6, 12, 13 →

2d Qual è il contrario di queste espressioni?

1. ammalarsi	....
2.	migliorare
3. stare peggio	stare ....
4. fare	fare bene
5. essere	essere sano, guarito

2e Collega verbi e nomi.

1. prendere (2 volte) 2. fare (3 volte) 3. stare
4. misurare/provare 5. prescrivere

- [ ] **a.** un'iniezione
- [ ] **b.** la febbre
- [ ] **c.** una radiografia
- [ ] **d.** una visita
- [ ] **e.** un appuntamento
- [ ] **f.** un'aspirina
- [ ] **g.** a letto
- [ ] **h.** degli esami, una medicina

2f **In coppia. Guardate i disegni e immaginate delle brevi conversazioni (come quelle dell'esercizio 2a), alternando il ruolo di medico e paziente.**

E9 →

Come ti senti?

3a **In coppia. Conoscete queste espressioni?**
Completate le frasi scegliendo tra le espressioni nel box.

> avere fame/sete/sonno
> avere freddo/caldo

1. Non mi sento bene: _____ e mi fa male la gola.
   Avrò l'influenza?
2. Il dottore mi ha detto di bere molto, ma io non _____ .
3. Sono ingrassato di tre chili. Dovrei stare a dieta, ma io _____ !
4. Apri la finestra: _____ .
5. Devo andare dal medico: di notte non riesco a dormire e di giorno _____ .

E6 →

3b **Conosci gli emoticons (emotional icons)? In italiano si chiamano faccine (piccole facce) e servono per comunicare rapidamente uno stato d'animo senza scrivere un'intera frase. Completa questi brevi messaggi e-mail sostituendo la faccina con una di queste espressioni:**

> sono stanco   sono contento   sono triste
> sono arrabbiato   che paura!

1. :-)   Domani parto per Londra! _____
2. (:+(Fatemi gli auguri. Domani ho l'esame di matematica! _____
3. :-@   Perché non sei venuto ieri? Ti ho aspettato per un'ora! _____
4. |-(Ho lavorato tantissimo e non vedo l'ora di andare in vacanza! _____
5. :-(I miei amici sono in vacanza e io sono rimasto da solo! _____

3c **In coppia. Osservate le foto e descrivete lo stato d'animo dei personaggi. Provate a immaginare chi sono queste persone e perché si sentono così.**

3d **Scegli la foto che meglio rappresenta come stai oggi e parlane con un compagno.**

lessico

Le parti del corpo

4a Associa alle immagini le istruzioni per fare gli esercizi.

Facciamo ginnastica

1. Saltellate sul posto per un minuto con le braccia lungo il corpo e le gambe unite.

2. Con un saltello aprite le gambe e alzate le braccia all'altezza delle spalle.

3. Sdraiatevi sul fianco sinistro, stendete la gamba sinistra e appoggiate la testa sul braccio allungato. Piegate la gamba destra mettendo il piede davanti al ginocchio sinistro. Alzate di pochi centimetri la gamba sinistra senza sollevare la schiena. Ripetete per 10 volte alternando fianco destro e sinistro.

4. Appoggiate la schiena alla parete tenendo le gambe unite, piegate ad angolo retto, come quando siete seduti su una sedia. Restate in questa posizione per 30 secondi e ripetete l'esercizio per tre volte.

5. Sdraiatevi a pancia in su, piegate la gamba destra e appoggiate il piede sinistro sul ginocchio destro. La mano destra è dietro il collo, il braccio sinistro è disteso a terra. Sollevate la spalla destra verso il ginocchio sinistro. Ripetete per 10 volte, alternando destra e sinistra.

a ☐

b ☐

c ☐

d ☐

e ☐

4b A gruppi di 3. Rileggi le istruzioni per fare gli esercizi di ginnastica e trova almeno 4 verbi o espressioni che indicano dei movimenti del corpo. Poi confrontali con quelli che hanno trovato i tuoi compagni. In gruppo, verificate il significato dei verbi provando a fare i diversi movimenti.

saltellare _____ _____ _____

4c Gioco. Ascoltate le istruzioni dell'insegnante per fare alcuni movimenti. Vince chi fa meno errori.

E7,8 →

La posizione dei pronomi

Con l'imperativo

1a Associa le battute alle vignette.

a. Non chiedermi perché, ma da quando hanno scoperto che i grassi fanno male, la nostra vita si è allungata.

b. Mi dia un suggerimento: è una vocale o una consonante?

c. Non si preoccupi per la sua malattia, caro signore ... Però quando esce porti via anche la sedia!

d. Diamogli un po' di questo: mia madre mi ha detto che fa bene!

1b Osserva la posizione dei pronomi con il verbo all'imperativo e completa la griglia.

	con l'IMPERATIVO alla forma AFFERMATIVA		con l'IMPERATIVO alla forma NEGATIVA	
tu, noi, voi	il pronome è	verbo	il pronome è	verbo
	es.:		es.:	
Lei	il pronome è	verbo		
	es.:			

 Non prendere la pastiglia! → Non prenderela!

1c Completa i verbi all'imperativo mettendo il pronome necessario prima o dopo il verbo.

1. Se la sua bambina ha la febbre, _____ dia _____ questo sciroppo.

2. Non _____ preoccupi _____ se Tommaso ha un po' di febbre: è normale, dopo le vaccinazioni.

3. Non riesco a dormire: _____ prepara _____ una camomilla, per favore.

4. Per fare questo esercizio, _____ sdraiate _____ sul fianco destro e appoggiate il ginocchio sinistro a terra.

5. Matteo è a casa con la gamba rotta: andiamo a trovarlo e _____ portiamo _____ un bel libro da leggere.

6. I dolci ti fanno male ai denti: non _____ mangiar _____ .

grammatica

1ᵈ Dai dei consigli a queste persone utilizzando uno di questi suggerimenti. Metti il verbo all'imperativo e fai attenzione alla scelta del pronome.

mettere la sciarpa	(Lei) prendere 2 prima di pranzo	riposare un po'	non bere
mettere un cerotto	(Lei) dare lo sciroppo	(Lei) non fare ginnastica	

1. Mi sono tagliato!   *Mettiti un cerotto*
2. Quante pastiglie devo prendere?   _____
3. Mio figlio ha ancora la tosse.   _____
4. Sono stanco e ho mal di testa.   _____
5. Quando bevo il caffè mi brucia lo stomaco. _____
6. Che mal di gola!   _____
7. Stamattina ho mal di schiena.   _____

1ᵉ Osserva le frasi.

*Non mi sento bene. **Fammi** una camomilla, per favore...*
*Chicca ha fame! **Dalle** qualcosa da mangiare!*

Con l'imperativo della seconda persona singolare, i verbi irregolari *andare*, *dare*, *dire*, *fare* e *stare* raddoppiano la consonante iniziale del pronome.
Non c'è raddoppiamento con il pronome *gli*:

andare → *va' (vai)* → *Non vengo in piscina, **vacci** da solo. (**ci** = in piscina)*
dire → *di'* → *Chiama tua sorella e **dille** che l'aspettiamo a cena.*

Completa le frasi con il verbo all'imperativo e il pronome appropriato.

1. Non puoi guardare sempre la televisione! (*dare*) _____ una mano a riordinare la camera.
2. Carlo, (*fare*) _____ un favore: passa tu a prendere le medicine. Io non sto bene e non voglio uscire.
3. Giorgio è ancora piccolo e ha molta paura del dentista. (*stare*) _____ vicino!
4. Gianna arriva in aeroporto alle dieci: (*andare*) _____ a prendere tu, io non ho la macchina.
5. Hai una faccia! (*dire*) _____ che cosa ti è successo!

1ᶠ Dai dei consigli a queste persone utilizzando l'imperativo. Scrivi due frasi per ciascuna situazione.

Mettiti sotto l'ombrellone

_____

_____

_____

_____

E10 →

Con l'infinito

2a Osserva la posizione dei pronomi. Dove si mettono i pronomi quando il verbo è all'infinito?

– Dottore, i tranquillanti mi hanno fatto rilassare così tanto che ho perso il lavoro: ora non ho più i soldi per pagarLa!

– Bello il suo vestito, ma finché ha la varicella Le consiglio di non metterlo!

 È finito lo sciroppo. Vado a comprarlo.

2b Completa le barzellette con i pronomi diretti o indiretti, mettendoli prima o dopo il verbo (con i verbi all'infinito unisci il pronome al verbo).

1. Un medico al suo paziente: "Per ottenere i migliori risultati da questi tranquillanti, _____ suggerisco _____ di _____ dare _____ due a sua moglie".

2. Due signori che parlano fuori dallo studio medico: "Che cosa _____ ha consigliato _____ il dottore per i grassi nel sangue?" "Cento giri di corsa al giorno attorno al suo ambulatorio, senza _____ fermare _____!"

3. Medico e paziente: "Allora, signor Rossi, è soddisfatto della cura?" "Sì, ma non sono per niente soddisfatto del conto che _____ ha mandato _____ . Voglio _____ fare _____ vedere a un altro medico e sentire cosa ne pensa".

4. "Dottore, soffro di continue amnesie". "Allora può _____ pagare _____ la visita in anticipo?".

5. "Dottore, un cane _____ ha morso _____ un dito". "E _____ ha disinfettato _____ con l'alcool?". "No, è scappato subito!".

6. Ho detto al mio dentista che 50 euro per togliere un dente _____ sembravano _____ troppi per 10 secondi di lavoro e lui mi ha detto: "Ha ragione, cercherò di _____ togliere _____ molto lentamente!".

7. "Dottore, _____ fa male _____ il fegato" "Beh, non _____ mangi _____".

E11 →

Il passato prossimo e l'imperfetto

3ª Leggi la lettera e sottolinea con due colori diversi i verbi che descrivono delle situazioni e quelli che invece raccontano ciò che è successo.

Cara Tiziana,
la mia settimana bianca sulle Dolomiti è finita male: sono già a casa, con un piede ingessato!
I primi giorni sono andati benissimo: <u>il tempo era bellissimo</u>, sciavamo dalla mattina alla sera, e ci
fermavamo solo per mangiare un panino al sole. Il terzo giorno, però, <u>il tempo è cambiato</u>:
nevicava e c'era nebbia, così i miei amici hanno deciso di andare in piscina. Io invece avevo voglia
di sciare e così sono andato sulle piste da solo. Non si vedeva quasi niente per la nebbia e così,
mentre scendevo su una pista piuttosto difficile, non ho visto un sasso e sono caduto. Ho
sentito subito un dolore fortissimo alla gamba: ho gridato ma sulle piste in quel momento non
c'era nessuno. La gamba mi faceva molto male, ero spaventato e avevo un freddo terribile.
Finalmente qualcuno mi ha visto e ha chiamato i soccorsi. Mentre aspettavamo l'ambulanza mi
hanno dato qualcosa per il dolore e un tè caldo. Dopo un po' sono arrivati anche i miei amici,
che mi hanno accompagnato all'ospedale. Dovrò tenere il gesso
almeno per 15 giorni e così per quest'anno ... basta sci!!
Se hai tempo vieni a trovarmi, mi farai un bel disegno sul gesso!
A presto, Fabrizio

A che tempo sono i verbi che descrivono situazioni? _____
A che tempo sono i verbi che raccontano fatti? _____

3ᵇ Osserva i verbi sottolineati. Che funzione hanno? Scrivili nella tabella.

imperfetto		passato prossimo
descrivere situazioni oppure stati fisici/ psicologici	parlare di azioni che si ripetono	raccontare un fatto
(mentre) scendevo		

3ᶜ Completa il dialogo tra due amici con i verbi al passato prossimo o all'imperfetto.

● È vero che da piccolo sei stato spesso in ospedale?

○ Sì, ero un bambino molto vivace e (*fare*) (1) _____ spesso dei giochi pericolosi.
   Una volta (*scottarsi*) (2) _____ con l'acqua della pasta. Mia madre stava
   preparando la cena quando una vicina (*suonare*) (3) _____ alla porta. Mentre lei
   (*parlare*) (4) _____ con la vicina, io (*salire*) (5) _____ su una sedia
   per prendere delle caramelle che mia madre (*tenere*) (6) _____ sempre in un
   armadietto proprio sopra il fornello. (*Scivolare*) (7) _____ e (*rovesciare*) (8)
   _____ la pentola con l'acqua calda.

● Chissà tua madre, che spavento. Ti (*portare*) (9) _____ al Pronto Soccorso?

○ Sì, (*rimanere*) (10) _____ in ospedale due giorni.

3ᵈ E tu, sei mai stato al Pronto Soccorso o all'ospedale? Perché? Racconta la tua esperienza a un compagno.

E 14,15 →

centottantacinque **185**

Alcuni pronomi e aggettivi indefiniti

Sulle piste in quel momento **non** c'era **nessuno**.
Non si vedeva quasi **niente** per la nebbia.
Finalmente **qualcuno** mi ha visto e ha chiamato i soccorsi.
Mi hanno dato **qualcosa** per il dolore e un tè caldo.

4a Completa le frasi con niente, nessuno, qualcosa o qualcuno.

1. Che mal di testa! Ho preso un'aspirina, ma non mi ha fatto _____ .

2. Dottor Rossi, c'è _____ al telefono che vuole un'informazione su un medicinale.

3. – Bevi qualcosa? – No grazie, non prendo _____ perché ho appena bevuto un caffè.

4. Quando sono arrivata dal medico non c'era _____ .

5. Tullio ha avuto un brutto incidente: la macchina è distrutta, lui fortunatamente non si è fatto _____ .

6. Stai ancora male? Perché non vai dal farmacista e ti fai consigliare _____ contro il mal di denti?

Per la tosse, prendi un cucchiaio di miele con < **qualche** goccia di limone
< **alcune** gocce di limone

qualche + nome singolare
alcuni/e + nome plurale

4b Trasforma le espressioni con qualche usando alcuni/e.

Tengo sempre in borsa **qualche** pastiglia per il mal di testa.
Tengo sempre in borsa **alcune** pastiglie per il mal di testa.

1. Ho preparato qualche medicina da portare in vacanza.

   _____

2. Ho letto qualche libro sulle medicine alternative.

   _____

3. Giovanna ha qualche linea di febbre.

   _____

4. Vorrei fare qualche massaggio per il mal di schiena.

   _____

5. La sera faccio sempre qualche esercizio di ginnastica.

   _____

6. Sono allergico a qualche pianta che fiorisce in primavera.

   _____

E16 →

pronuncia

Il suono [j] (f*i*ore)

CD 2 t. 34

1ª Ascolta i nomi delle professioni e scrivili sotto il disegno corrispondente.

_____ _____   _____   _____ _____ _____

1ᵇ Riascolta le parole e ripeti ad alta voce.

Il suono [w] (*u*omo)

CD 2 t. 35

2ª Ascolta e ripeti i nomi degli oggetti.

2ᵇ In coppia. Trovate il contrario delle parole elencate sotto. Tutte le parole contengono il suono [w].

Il contrario di

dentro		_____
pieno		_____
vecchio	è	_____
donna		_____
cattivo		_____

I dittonghi

I dittonghi sono sequenze di due vocali, come in E̲uropa, A̲ustral̲ia, lic̲eo, id̲ea, Mar̲io.

CD 2 t. 36

3ª Ascolta queste coppie di parole e indica in quale c'è un dittongo.

	1.	2.	3.	4.	5.	6.	7.	8.	9.	10.
1ª parola	X									
2ª parola										

CD 2 t. 37

3ᵇ Ascolta e completa le frasi con le lettere mancanti. Poi rileggi le frasi ad alta voce.

1. Ho acceso una lampada in corrid_____ perché c'era troppo b_____ .
2. Mi sono l_____ r_____ to a Vienna, in _____ str _____ .
3. Passa la vecch _____ in campagna pascolando i s _____ b_____ .
4. Ti _____ guro una pronta g _____ rig _____ ne.
5. Il benzin _____ è un vecchio istr _____ no.
6. Tieni: nella valig _____ ci sono un ras _____ e un p _____ di g _____ nti di cuoio.

1 Gioco. I malati immaginari.

Il nome di molte malattie termina con il suffisso *-ite*, che indica un'infiammazione. Ad esempio, la polmonite è una grave infiammazione dei polmoni.
Per gioco questo suffisso è usato a volte per inventare parole che indicano comportamenti strani o eccessivi: un bimbo che vuole sempre la mamma ha la "mammite", qualcuno che è molto pigro ha la "pigrite".

A gruppi di quattro inventate almeno 2 nomi di malattie immaginarie e indicate i sintomi e le cure. La malattia più originale verrà premiata.

> **TELEVISIONITE:** malattia di chi vuole sempre guardare la televisione.
>
> **Sintomi:** il paziente vede la televisione anche mentre fa la doccia.
>
> **Cure:** si consiglia un soggiorno di un mese in un paesino di montagna senza televisione.

2 Vivere in città.

Scrivi un messaggio di risposta a Marco dandogli qualche suggerimento per risolvere il suo problema.

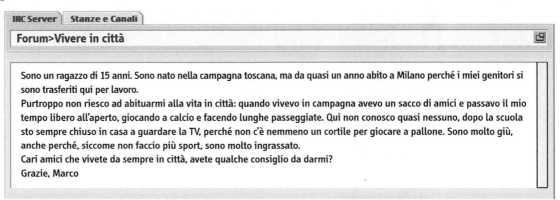

IRC Server | Stanze e Canali

Forum>Vivere in città

Sono un ragazzo di 15 anni. Sono nato nella campagna toscana, ma da quasi un anno abito a Milano perché i miei genitori si sono trasferiti qui per lavoro.
Purtroppo non riesco ad abituarmi alla vita in città: quando vivevo in campagna avevo un sacco di amici e passavo il mio tempo libero all'aperto, giocando a calcio e facendo lunghe passeggiate. Qui non conosco quasi nessuno, dopo la scuola sto sempre chiuso in casa a guardare la TV, perché non c'è nemmeno un cortile per giocare a pallone. Sono molto giù, anche perché, siccome non faccio più sport, sono molto ingrassato.
Cari amici che vivete da sempre in città, avete qualche consiglio da darmi?
Grazie, Marco

3 Uno strano dottore.

Guarda le vignette e racconta la storia di questo strano dottore.

Funzioni

Chiedere e dire come ci si sente

chiedere e dire come ci si sente	domandare	rispondere
	Come sta/stai?	Bene, grazie.
	Come va?	Abbastanza bene, sono solo un po' stanco.
	Come si sente/ti senti?	Non molto bene: ho ancora un po' di febbre.
	Cosa Le/ti è successo?	Sono caduto e mi sono rotto la gamba.
	Non ti senti bene?	No, ho mal di stomaco.
	Si sente/ti senti meglio?	Sì, oggi sto meglio, grazie.

	parlare della propria salute	
in generale	Sto bene. / Non sto bene. / Sto male. Sono malato/guarito. Sto meglio/peggio di ieri.	
dire che qualcosa fa male	Mi fa male la testa/lo stomaco/la pancia/la schiena. Ho mal di testa/stomaco/pancia/schiena.	
dire che è successo qualcosa	Mi sono fatto male alla mano/al piede/alla gamba. Sono caduto. Mi sono rotto un braccio. Mi sono scottato le spalle.	

	domandare	rispondere
chiedere e dare un consiglio	Potrebbe consigliarmi qualcosa per le punture d'insetto?	Provi a mettere del ghiaccio. / Metta questa pomata.
	Cosa posso prendere per il mal di stomaco?	Dovrebbe stare a dieta. / Non beva il caffè.

Grammatica

La posizione dei pronomi

I pronomi diretti e indiretti si usano in genere prima del verbo.

- ● Hai fatto tu questa torta?   ○ No, l'ho comprata.
- ● **Mi** accompagni a scuola?

Si usano DOPO il verbo:

– **con l'imperativo affermativo** della 2ª persona singolare e plurale e della 1ª persona plurale:

- ● C'è un cagnolino!   ○ Porta**lo** in casa!
  Portate**lo** in casa!
  Portiamo**lo** in casa!

– **con l'imperativo negativo** il pronome si può mettere prima o dopo il verbo:

- ● C'è un cagnolino!   Non portar**lo** in casa!   Non **lo** portare in casa!
  Non portate**lo** in casa!   Non **lo** portate in casa!
  Non portiamo**lo** in casa!   Non **lo** portiamo in casa!

I verbi irregolari *andare*, *dare*, *dire*, *fare* e *stare* raddoppiano la consonante iniziale del pronome. Non c'è raddoppiamento con il pronome *gli*.

Se vai da Claudia, **dille** di telefonarmi.
Se vedi Sergio, **digli** di venire alla festa.

– con il verbo all'infinito:

● È il compleanno di Marina. Vado a comprar**le** un regalo.

 Quando si unisce al pronome (con l'infinito oppure con l'imperativo negativo della 2ª persona singolare) il verbo perde la *-e* finale:

Vado a prender**lo**. / Non parlar**gli**.

Quando il verbo all'infinito è preceduto da un **verbo modale** (*potere, dovere, volere, sapere*), il pronome può essere usato anche prima del verbo modale.

● Quel film è molto triste.
    ○ Non voglio veder**lo**!
    ○ Non **lo** voglio vedere!

Passato prossimo e imperfetto

Per raccontare fatti al passato usiamo:

l'imperfetto

– indica delle azioni che nel passato si ripetevano con abitudine:
● Da piccolo *andavo* in vacanza in campagna.

– descrive delle situazioni o degli stati psicofisici:
● *Faceva* freddo, *nevicava* e io *ero* stanchissimo.

– indica delle azioni viste nel loro svolgimento:
● La sera mi *piaceva* stare a guardare il sole che *tramontava* dietro le colline.

il passato prossimo

– indica delle azioni non ripetute e non abituali:
● Una volta/L'anno scorso/Un mese fa *sono andato* in vacanza in campagna.

– indica delle azioni compiute, finite:
● Il sole *è tramontato* dietro le colline.

Il passato prossimo si usa per indicare azioni che ne "interrompono" un'altra già in corso:
● Mentre *scendevo* sulla pista, non *ho visto* un sasso e sono caduto.

Alcuni aggettivi e pronomi indefiniti

Pronomi

niente = *nessuna cosa*
nessuno = *nessuna persona*

● **Non** ho mangiato **niente**.
● **Non** è venuto **nessuno**.

qualcosa = *qualche cosa*
qualcuno = *una persona*

● Hai perso **qualcosa**?
● C'è **qualcuno** alla porta.

 Niente e *nessuno* usati dopo il verbo vogliono la negazione **non**.

Aggettivi

Qualche = *alcuni/e*
È *invariabile* e si usa sempre con il *nome al singolare*.

● Ti ho portato **qualche** libr**o** da leggere.

Alcuni/e (variabile)

● Ti ho portato **alcuni** libri e **alcune** riviste da leggere.

Alcuni/e può essere usato anche come **pronome**:

● Ho fatto delle fotografie ai bambini. **Alcune** sono molto belle.

i miei errori più frequenti
"sbagliando s'impara"

Se so quali sono gli errori che faccio più frequentemente, posso cercare di controllarli quando parlo e scrivo.

I MIEI ERRORI SONO

LESSICO Es. La classe di italiano è alle 14. La **lezione** di italiano è alle 14.	
MORFOLOGIA (desinenze) Es. X studenti sono inglese. **Gli** studenti sono inglesi.	
SINTASSI (ordine delle parole) Es. Mi non piace la pizza. **Non** mi piace la pizza.	
SCELTA AUSILIARE Es. Ho andato al cinema. **Sono** andato al cinema.	
SCELTA DEI TEMPI **(presente, passato,** **passato prossimo, imperfetto)** Es. Quando ho avuto 10 anni, sono andato in vacanza in Italia. Quando **avevo** 10 anni, sono andato in vacanza in Italia.	
PREPOSIZIONI Es. Parto a Napoli. Parto **per** Napoli.	
PRONOMI Es. Lo telefono domani. **Gli** telefono domani	
ORTOGRAFIA Es. L'insegnante è simpaticha. **L'**insegnante **è** simpati**ca**.	

questionario finale (livello A2)

Ho finito le unità 6-10.
Sono alla seconda tappa del mio percorso per imparare l'italiano. Che cosa so fare?

		😊	😐	🙁
ascoltare	■ So capire le informazioni principali di dialoghi in situazioni quotidiane (abitudini, attività del tempo libero, vacanze, compere, casa, salute). ■ So capire le principali informazioni su un programma di viaggio. ■ So capire semplici descrizioni dei luoghi della città (strade, negozi, servizi). ■ So capire le informazioni su un appartamento.			
parlare	■ So parlare di una vacanza che ho fatto o che vorrei fare (itinerari, mezzi di trasporto, sistemazione). ■ So parlare della mia famiglia e dei miei studi. ■ So fare gli auguri nelle occasioni di festa più importanti. ■ So descrivere la mia casa. ■ So dare informazioni sulla mia salute. ■ So fare semplici descrizioni e paragoni.			
dialogare	■ So chiedere e dare semplici istruzioni. ■ So chiedere e dare consigli e suggerimenti. ■ So proporre cosa fare o dove andare e accordarmi per un incontro. ■ So fare compere (cibo e bevande, vestiti, oggetti di uso quotidiano). ■ So raccontare o chiedere di fatti e situazioni personali del passato. ■ So fare semplici conversazioni telefoniche. (chiedere di parlare con qualcuno, chiedere un numero, ecc.). ■ So chiedere e dire com'è il tempo.			
leggere	■ So cercare in un opuscolo le informazioni che mi servono (orari, prezzi, mezzi di trasporto). ■ So leggere brevi e semplici articoli di giornale sulla cultura e le abitudini degli italiani. ■ So capire avvisi e cartelli di uso comune (per strada, nei negozi, nei luoghi pubblici). ■ So cercare informazioni in un dizionario bilingue.			
scrivere	■ So scrivere brevi testi su argomenti personali (lavoro, famiglia, vacanze). ■ So scrivere le istruzioni per un breve itinerario. ■ So scrivere un semplice biglietto d'auguri. ■ So raccontare in modo semplice in una lettera che cosa ho fatto o che cosa mi è successo.			

6 unità E tu, dove sei andato in vacanza?

comprensione orale

1

a John e Kate sono appena arrivati a Venezia e sono all'ufficio informazioni turistiche. Prova a immaginare che informazioni chiedono.

CD 2 t. 01

b Ascolta e indica le affermazioni corrette. John e Kate:

- ☐ a. si fermano a Venezia per una settimana.
- ☐ b. prenotano un albergo.
- ☐ c. comprano i biglietti per il vaporetto.
- ☐ d. vogliono un elenco dei ristoranti.
- ☐ e. comprano una guida turistica.

- ☐ f. chiedono informazioni su mostre e spettacoli.
- ☐ g. hanno più di 30 anni.
- ☐ h. comprano la VENICEcard.
- ☐ i. vorrebbero dormire all'ostello.
- ☐ l. comprano una piantina.

c Quanto costa? Riascolta il dialogo e completa.

costa

1. il pernottamento all'ostello	_____	€
2. la guida con la piantina	_____	€
3. il biglietto del vaporetto valido 3 giorni	_____	€
4. la VENICEcard valida 3 giorni	_____	€

comprensione scritta

2

a **Leggi il dépliant con la pubblicità della "VENICEcard" e indica quali tra i servizi sono gratuiti, scontati o con supplemento.**

VENICEcard

È un biglietto unico per accedere ai principali servizi turistici offerti dalla città

VENICEcard, con tariffe Senior (per maggiori di 30 anni) e Junior (fino a 30 anni non compiuti), può essere valida per 1 giorno o per 3 giorni o per 7 giorni:

TARIFFE	
Senior	Junior
28€ (1g.) - 47€ (3 gg.) - 68€ (7 gg.)	18€ (1g.) - 35€ (3 gg.) - 61€ (7 gg.)

Ecco tutti vantaggi della **VENICE**card:

• I trasporti pubblici Actv: puoi utilizzare tutti i mezzi di navigazione per muoverti in città e tutti gli autobus del Comune (Mestre-Venezia-Isole Murano-Burano-Lido).

• Le toilettes Vesta: potrai trovare subito e usare gratuitamente i servizi del centro storico.

• Se arrivi in auto
Il conducente potrà usufruire a condizioni speciali del parcheggio ASM di San Giuliano (per auto, moto, camper e bus) con collegamento gratuito al centro storico.

• Se arrivi in aereo
Con un supplemento di 20€, potrai acquistare la VENICEcard con il collegamento Alilaguna da e per l'aeroporto (un motoscafo ti condurrà, per la laguna, dall'aeroporto a Venezia e viceversa, quando ripartirai).

• I Musei;
si aprono per te, con ingresso privilegiato, 9 splendidi siti museali: I Musei di Piazza San Marco tra cui Palazzo Ducale; l'Area del Settecento in cui troverai anche Ca' Rezzonico, Museo del Settecento veneziano; i Musei delle Isole a Murano e a Burano, dedicati al Vetro e al Merletto.

	gratuito	scontato	con supplemento
1. i mezzi di trasporto in città	☐	☐	☐
2. le *toilettes*	☐	☐	☐
3. i musei di S. Marco	☐	☐	☐
4. il parcheggio	☐	☐	☐
5. il trasferimento da e per l'aeroporto	☐	☐	☐

b **Rispondi.**

1. Quanto costa la VENICEcard per 7 giorni per una persona che ha più di 30 anni?

_____

2. Con quale mezzo di trasporto si raggiunge l'aeroporto con il servizio Alilaguna?

_____

3. Quanto devo pagare in più per avere il servizio Alilaguna?

_____

4. Con la VENICEcard, tutti i musei sono gratuiti?

_____

c **Abbina le parole al loro significato.**

☐ 1. le tariffe   a. gli aspetti positivi
☐ 2. usufruire   b. utilizzare
☐ 3. i vantaggi   c. scontato
☐ 4. gratuitamente   d. senza pagare
☐ 5. privilegiato   e. i prezzi

3

Completa con le parole elencate la cartolina che Tania ha scritto a Chiara.

Cara Chiara,
finalmente sono in (1) —————— ! Sono a Tropea, in
Calabria, con un gruppo di (2) —————— . Siamo
arrivati tre giorni fa, in (3) —————— , e abbiamo
affittato un bungalow in un (4) —————— vicino al
mare. Il (5) —————— è bellissimo, non fa troppo
(6) —————— e noi stiamo tutto il giorno in (7)
—————— a prendere il (8) —————— . La sera
ceniamo al (9) —————— e poi andiamo a mangiare un
(10) —————— o a fare una (11) —————— sul
lungomare. Ci sono molti (12) —————— stranieri e in
campeggio abbiamo conosciuto dei ragazzi tedeschi
molto simpatici.
Tu come stai? Sei già in montagna?
Un bacione,
Tania

Chiara Moretti

Via Corridoni, 10

21100 Varese

sole
tempo
turisti
spiaggia
amici
vacanza
gelato
caldo
ristorante
campeggio
aereo
passeggiata

4

Con l'aiuto del dizionario associa i documenti di viaggio alle frasi corrispondenti.

1. carta d'identità	a. Serve agli italiani per andare nei Paesi che non fanno parte dell'Unione Europea.
2. patente di guida	b. È obbligatoria per tutti i cittadini italiani. È valida come documento di riconoscimento nei Paesi dell'UE.
3. passaporto	c. È obbligatorio per gli stranieri che risiedono in Italia per motivi di studio o di lavoro.
4. visto del Consolato	d. È obbligatorio per le auto italiane che circolano sul territorio nazionale.
5. permesso di soggiorno	e. È obbligatoria per guidare un mezzo di trasporto.
6. libretto di circolazione	f. È obbligatoria per la circolazione dei veicoli all'estero.
7. carta verde	g. È richiesto per l'ingresso in alcuni Paesi.

5

Quando è stata l'ultima volta che …?
Completa con un'espressione di tempo come nell'esempio.

un anno fa	una settimana fa	tre giorni fa
l'anno scorso	la settimana scorsa	ieri
l'altro ieri		

Quando è stata l'ultima volta che …?

1. sei andato dal dentista *Il mese scorso*

2. hai letto un libro _____

3. sei andato al cinema _____

4. hai scritto una lettera _____

5. sei stato in vacanza al mare _____

6. hai fatto un viaggio all'estero _____

7. hai cucinato per gli amici _____

funzioni

6

Pietro e Silvano sono in vacanza in posti diversi e, al telefono, parlano del tempo. Leggi il dialogo e completa con c'è, fa o è.

Qui c'è nebbia.

● Allora, Pietro, com'è il tempo da voi?

○ È bellissimo: (1) _____ il sole e (2) _____ caldo, siamo in giro senza giacca.

● Beati voi! Qui è un disastro! Da due giorni (3) _____ molto brutto: ieri è piovuto tutto il giorno, oggi non piove, però (4) _____ nuvoloso e (5) _____ vento. Siamo in casa, perché fuori (6) _____ freddo, sembra inverno!

○ Che sfortuna!

7

Completa il dialogo con le domande mancanti.

1. ● _____ ? ○ Sono stato in Guatemala.

2. ● _____ ? ○ No, non per lavoro. Ho fatto un viaggio con la mia ragazza.

3. ● _____ ? ○ Sì, certo, ho viaggiato con la British Airways.

4. ● _____ ? ○ Molto, quasi 15 ore!

grammatica

8

Completa con il passato prossimo dei verbi tra parentesi.

● Ciao Tiziana, ciao Silvio. Come (*andare*) (1) _____ la vostra vacanza in Australia?

○ Benissimo! (*Divertirsi*) (2) _____ moltissimo!

● Ci (*andare*) (3) _____ da soli?

○ No, (*venire*) (4) _____ anche due nostri amici di Siena, ma solo per due settimane.

● Che cosa (*fare*) (5) _____ ?

○ (*Rimanere*) (6) _____ qualche giorno a Sydney, poi (*noleggiare*) (7) _____ un camper e (*viaggiare*) (8) _____ lungo la costa fino a Perth. Ci (*fermare*) (9) _____ qualche giorno ad Adelaide e (*fare*) (10) _____ alcune escursioni sul Murray River.

● Sempre in camper?

○ No, una volta (*prendere*) (11) _____ un traghetto, un'altra invece le biciclette... (*Vedere*) (12) _____ anche alcune riserve naturali, ci sono moltissimi animali e una vegetazione spettacolare.

● E quando (*tornare*) (13) _____ ?

○ Solo da un paio di giorni, Tiziana (*rientrare*) (14) _____ al lavoro ieri, io ricomincio domani. E tu, Roberta? Che cosa (*fare*) (15) _____ ? Dove (*andare*) (16) _____ ?

● Da nessuna parte! Non (*partire*) (17) _____ perché mia mamma (*stare*) (18) _____ in ospedale qualche giorno; ora però sta meglio e spero di fare un viaggetto in Egitto il mese prossimo.

Ecco alcune immagini delle vacanze che hai passato con Paolo/Paola. Racconta quello che ti è successo in una lettera a un amico.

10

Riscrivi il testo al passato prossimo.

Di solito il fine settimana vado a sciare in Trentino, a Canazei, con degli amici. Il sabato mattina partiamo verso le nove e arriviamo sulle piste all'una. Sciamo tutto il pomeriggio e alle sei, dopo una bella doccia, facciamo la sauna in albergo. A cena mangiamo delle specialità locali preparate dalla padrona del ristorante e poi giochiamo a carte.
La domenica mi alzo presto e prendo il primo skilift: i miei amici, invece, restano a letto fino a tardi e vengono a sciare alle 11. Verso le due prendiamo un panino al bar e rientriamo in città.

Il *fine settimana scorso...*

11

Guarda i disegni e scrivi delle frasi al passato prossimo con già e non ancora.

(lui) alzarsi
Non si è ancora alzato.

1. (voi) comprare i biglietti
   _____

2. (io) finire di lavorare

3. (loro) partire

4. (lei) addormentarsi

5. (noi) cenare
_____

6. (tu) riordinare la camera
_____

12

A che cosa si riferiscono i pronomi diretti sottolineati?

1.

● Ho comprato l'ultimo libro di Camilleri.
  Lo regalo a Giorgio per il suo compleanno.

○ Buona idea. Quand'è la festa?

● La facciamo sabato prossimo, a casa sua. Ci vieni?

○ Non so, ho dei progetti da consegnare. Li devo finire
  entro lunedì, perciò forse sabato dovrò lavorare ...
  per eso

2.

● Buonasera Signora Feggi, La chiamo per sapere se sono
  pronti i nostri biglietti ...

○ Sì, li potete ritirare domani. Però prima dovrebbe pagare la
  caparra. _dinero entrega_

● Sì, lo so. La pago domani mattina in banca. Senta, e le
  prenotazioni degli alberghi?

○ Le ho inviate questa mattina. La prossima settimana
  dovrebbero arrivare i vouchers. La chiamo io quando arrivano.

lo ___ = il libro ___

1. _la_ = _la festa_
2. _li_ = _i progetti_

3. _la_ = _la Signora_ (usted)

4. _li_ = _i biglietti_

5. _la_ = _la caparra_

6. _le_ = _le prenotazioni_
7. _la_ = _la Signora_

13

All'aeroporto. Completa con i pronomi diretti di 3ª persona.

● Buongiorno! Mi dà il suo biglietto, per cortesia?

○ Un attimo, non (1) _lo_ trovo. Ah, è qui. Vorrei un posto vicino al finestrino, se è
  possibile.

● Certo. Ha dei bagagli?

○ Sì, (2) _li_ ho qui sul carrello. Sono due valigie.

● (3) _Le_ metta qui. E quella borsa?

○ (4) _La_ porto come bagaglio a mano.

● Mi dà anche il suo passaporto?

○ Ecco (5) _lo_ .

● Benissimo, questa è la sua carta d'imbarco. (6) _la_ presenti alla hostess, al gate 2, tra
  15 minuti.

○ Grazie, arrivederci.

14

Costruisci delle frasi con il si impersonale come nell'esempio:

In Italia   mangiare spesso la pasta   → si mangia spesso la pasta ___

      1. fare le vacanze in agosto   → ___

      2. viaggiare molto in auto   → ___

      3. usare poco le biciclette   → ___

      4. visitare molte città d'arte   → ___

      5. apprezzare la buona cucina   → ___

      6. spendere molto per le vacanze → ___

15

Di' una cosa che si può fare e una che non si può fare nei luoghi elencati.

In biblioteca… *si possono leggere i giornali, ma non si può ascoltare musica.*

1. In discoteca… _____

2. All'aeroporto… _____

3. In barca… _____

4. In piscina… _____

5. In campeggio… _____

6. Al ristorante… _____

16

Costruisci delle frasi usando i verbi andare e venire e le preposizioni semplici o articolate da e in, come nell'esempio.

io / Messico / Canada → *Vengo dal Messico e vado in Canada.*

1. lui / Africa / Stati Uniti → _____

2. loro / Germania / Singapore → _____

3. tu / Filippine / California → _____

4. voi / Sicilia / Piemonte → _____

5. noi / Marocco / Parigi → _____

17

Che cosa si può fare nella tua città se …? Per ogni situazione dai un consiglio a dei turisti, come nell'esempio.

Vorrei fare acquisti. → *Se vuoi fare acquisti vai in via Dante, ci sono molti negozi.*

1. Piove! Che faccio? _____

2. Vorrei mangiare un piatto tipico. _____

3. Mi piacerebbe vedere uno spettacolo teatrale. _____

4. Vorrei fare una passeggiata. _____

5. Devo comprare il biglietto dell'autobus. _____

18

Tommaso ha invitato un collega a cena. Ha lasciato un messaggio sulla sua scrivania. Completa con quando, se, perché, per.

Ti aspetto questa sera alle otto.

(1) _____ venire a casa mia, devi prendere due autobus, il 3 e il 7.

Scendi dal 3 (2) _____ sei davanti all'Ospedale: di fronte c'è la fermata del 7. (3) _____ perdi l'autobus telefonami (0363 342345) così ti vengo a prendere in macchina, (4) _____ la sera non ci sono molti autobus.

A dopo!

19  CD 2 t. 02

Ascolta le parole e scrivile sotto gli oggetti corrispondenti.

_____ _____ _____ _____ _____

_____ _____ _____ _____ _____

20

In base alla loro pronuncia, scrivi le parole dell'esercizio 19 nella colonna corrispondente. Conosci altre parole che contengono questi suoni?

[ʃi] *(scivolare)*	[ʃe] *(scendere)*	[ʃu] *(asciugare)*	[ʃo] *(sciogliere)*	[ʃa] *(lasciare)*

[ski] *(fischiare)*	[ske] *(schedare)*	[sku] *(scuotere)*	[sko] *(scoprire)*	[ska] *(scalare)*

21 CD 2 t. 03

Ascolta il dialogo e completa con le parole mancanti, che contengono i suoni [ʃ] (scivolare), [sk] (scalare) e [tʃ] (ciao).

● Cosa ti è (1) _____ ?

○ Mi sono rotto il (2) _____ .

● Ma come hai fatto?

○ L'altra sera sono andato a (3) _____ a casa di (4) _____ . Ho preso l'(5) _____ e quando sono (6) _____ sono (7) _____ su una (8) _____ d'olio e sono caduto dalle (9) _____ .

● Olio?

○ Sì, la sua (10) _____ è andata a fare la spesa e ha comprato del (11) _____ fritto. Era in un (12) _____ che si è (13) _____ proprio davanti all'(14) _____ .

● Che sfortuna! Ma perché la (15) _____ non l'ha (16) _____ ?

○ Non ha fatto in tempo. Io sono arrivato subito dopo.

1 CD 2 t. 04

Ascolta la conversazione telefonica e scegli la risposta giusta.

1. Con chi parla Giulia nella prima telefonata?
   - ☐ **a.** con una signora sconosciuta
   - ☐ **b.** con Manuela
   - ☐ **c.** con la mamma di Manuela

2. La mamma di Manuela dice che Manuela è uscita
   - ☐ **a.** per cenare
   - ☐ **b.** per comprare qualcosa
   - ☐ **c.** per andare a una festa

3. Giulia chiama Manuela
   - ☐ **a.** per farle gli auguri di Natale
   - ☐ **b.** per farle gli auguri di Capodanno
   - ☐ **c.** per farle gli auguri di Pasqua

4. Giulia farà una festa
   - ☐ **a.** a casa sua
   - ☐ **b.** in casa di amici
   - ☐ **c.** fuori casa

5. Manuela festeggerà
   - ☐ **a.** con i parenti
   - ☐ **b.** con i colleghi di lavoro
   - ☐ **c.** con gli amici

6. Manuela è in centro per cercare qualcosa di rosso. Cosa?
   - ☐ **a.** della biancheria
   - ☐ **b.** un maglione
   - ☐ **c.** un paio di scarpe

2

a Guarda le foto e fai delle ipotesi su dove preferiscono fare acquisti gli italiani.

b Leggi l'articolo e abbina il titolo ai paragrafi.

- [ ] **a.** Come spendono gli italiani
- [ ] **b.** Dove comprano gli italiani
- [ ] **c.** Amanti del fresco
- [ ] **d.** Chi fa gli acquisti
- [ ] **e.** Una spesa *made in Italy*
- [ ] **f.** Gli italiani e gli acquisti

La spesa degli italiani

(1) Per gli italiani fare la spesa è una faccenda seria che coinvolge non solo il portafogli, ma anche il cuore. Per questo, quando riempiono la borsa o il carrello, sono più attenti e più esigenti degli altri europei.

(2) Nell'ultimo anno gli italiani hanno aumentato il consumo di alcuni beni, ma diminuito quello di altri. Ad esempio hanno ridotto i consumi per il vestiario (-1,8%) e le calzature (-2,9%), mentre hanno speso di più per gli elettrodomestici (+9,6%) e i medicinali (+5,7%).

(3) A spingere il carrello è di solito il gentil sesso: su dieci persone che fanno la spesa otto sono donne. I pochi maschi sono soprattutto giovani fino a 35 anni o anziani sopra i 65. I grandi assenti fra gli scaffali dei supermercati e i banchi del mercato sono i quarantenni in carriera che non si preoccupano del frigorifero vuoto.

(4) L'82% dei consumatori preferisce il cibo fresco. Il motivo? Si fa shopping più spesso: tre italiani su dieci ci vanno un paio di volte la settimana e due su dieci tutti i giorni. Chi fa la spesa così di frequente vuole trovare frutta e verdura fresca, pane e pizza appena sfornati, carne e pesce freschi.

(5) Sarà una questione di abitudine o di gusto, ma in pochi rinunciano ai prodotti di casa nostra: sette persone su dieci privilegiano infatti gli acquisti *made in Italy*. Sarà un comportamento conservatore? Forse sì, ma è stato dimostrato che la dieta mediterranea è la più sana di tutte.

(6) Supermercati e ipermercati piacciono molto e due persone su tre li vorrebbero aperti anche la domenica. Ma la tradizione resiste: quattro consumatori su dieci non sanno rinunciare al negozietto sotto casa e due consumatori su dieci frequentano ancora i variopinti mercati di quartiere o il classico mercato cittadino. In Italia resistono circa duecentomila piccoli negozi alimentari, la gente ci va per acquistare quello che ha dimenticato al supermercato, oppure per qualche prodotto che serve con urgenza.

(adattato da www.spendibene.it)

c Rileggi il testo e indica l'alternativa corretta.

1. Per le calzature quest'anno gli italiani hanno
   - [ ] **a.** speso più dell'anno scorso
   - [ ] **b.** speso come l'anno scorso
   - [ ] **c.** speso meno dell'anno scorso

2. Le persone che vanno a fare la spesa sono principalmente
   - [ ] **a.** giovani [ ] **b.** donne [ ] **c.** uomini

3. Gli italiani che vanno a fare la spesa più di una volta alla settimana sono
   - [ ] **a.** il 20% [ ] **b.** il 30% [ ] **c.** il 50%

4. Gli italiani comprano nel negozio sotto casa
   - [ ] **a.** cose che servono subito
   - [ ] **b.** cose di qualità
   - [ ] **c.** tutto quello che serve

3

In quale negozio compri queste cose? Completa le frasi inserendo i nomi.

calzolaio   negozio di frutta e verdura   panettiere   cartolaio   pescheria   tabaccaio
pasticciere   tabaccheria   pasticceria   ~~macelleria~~   panetteria   salumiere
salumeria   ~~macellaio~~   cartoleria   pescivendolo   fruttivendolo   negozio di scarpe

Dove compri…

la carne?   *Compro la carne **in** macelleria. Compro la carne **dal** macellaio.*

1. … la frutta? _____
2. … la carta da lettera? _____
3. … le sigarette? _____
4. … le scarpe? _____
5. … i pasticcini? _____
6. … il pane? _____
7. … il prosciutto? _____
8. … il pesce? _____

lessico

4

Questa è la piantina di un grande centro commerciale. Abbina i negozi al loro nome.

libreria   parrucchiere   cartoleria   lavanderia   ipermercato   abbigliamento
gelateria   oreficeria   profumeria   calzolaio

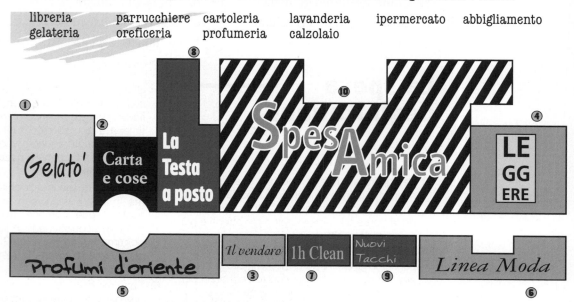

Legenda:

Ristorazione	Beni per la persona	Servizi
1) Gelatò	3) Il Vendoro	7) 1h Clean
Beni per la casa	4) Leggere	8) La testa a posto
2) Carta e cose	5) Profumi d'oriente	9) Nuovi tacchi
	6) Linea moda	10) Spesa amica

5

Ecco le nuove tendenze per la primavera-estate. Abbina le immagini alle descrizioni e completa con il nome del capo giusto.

completo   camicie
calze   maglietta
abito   jeans
pantaloni   cappello
scarpe (2 volte)

..... Per il prêt-à-porter domina l'abbigliamento sportivo: _____ ampie ed elaborate da abbinare a un semplice paio di _____ .

..... Anche per la sera un bell'_____ fresco è d'obbligo, magari con inserti che ricordano l'estate. Da non dimenticare il dettaglio elegante: _____ con il tacco e _____ velate.

..... Per la moda uomo prevale ancora l'abbigliamento classico: _____ scuro con camicia e cravatta e un paio di _____ tipo mocassino.

..... Estate all'insegna della comodità: il top quest'anno sono _____ larghi, da portare rigorosamente con sandali bassi; sotto il maglione largo una _____ o un top di cotone. Da abbinare ad accessori sportivi come ad esempio un _____ in cotone.

6

Completa la descrizione dei capi di abbigliamento.

Tessuto/materiale

 di/in cotone

 di/in lana

 di/in seta

 di/in pelle

Colore

a pois

in tinta unita

a righe

a quadri

fantasia

maglietta *di cotone* _____ **1.** maglione _____ **2.** pantaloni _____

3. gonna _____ **4.** cravatta _____ **5.** camicia _____

6. camicia _____ **7.** giacca _____ **8.** cintura e scarpe _____

7

Trova nel crucipuzzle (in orizzontale o in verticale) i 10 aggettivi che descrivono l'abbigliamento.

P	E	S	A	N	T	E	O	M	C
S	C	L	A	S	S	I	C	O	S
T	R	U	U	O	R	N	A	D	P
R	Y	N	A	E	R	S	U	E	O
E	S	G	D	S	S	T	Y	R	R
T	D	O	R	I	E	Y	I	N	T
T	M	I	C	S	C	U	R	O	I
O	Z	O	C	H	I	A	R	O	V
E	L	E	G	A	N	T	E	P	O
L	E	G	G	E	R	O	O	W	R

8

Ecco i regali di Silvano per Natale. Completa le descrizioni con le desinenze.

1. La mia fidanzata è una ragazza molto chic. Quindi le regalo sicuramente della biancheri ____ intim ____ ner ____ .

2. Mio fratello è un ragazzo che ama la cultura, allora gli regalo un bel paio di occhial ____ ner ____ e una penn ____ stilografic ____ ross ____ .

3. A mia mamma, patita per la moda, volevo comprare un paio di scarp ____ giall ____ e un cappellin ____ di lana verd ____ .

4. Per la mia sorellina pensavo invece a un bel paio di calzetton ____ azzurr ____ e bianch ____ e a una bell ____ magliett ____ arancion ____ .

5. Alla nonna, che d'inverno ha sempre freddo, ho già comprato un bel paio di guant ____ grig ____ di lana e una bell ____ sciarp ____ marron ____ di lana calda.

9

a **Che cosa manca? Nella seconda vignetta mancano 10 particolari. Quali? Trova le differenze.**

b **Adesso completa le frasi.**

Che cosa manca *al cane*? *Gli* manca la coda.

1. Che cosa manca *alle montagne*? *Le manca una vetta*

2. Che cosa manca *alla casa grande* (2 cose)? *Le manca*

3. Che cosa manca *alla macchina*? _____

4. Che cosa manca *all'uomo*? _____

5. Che cosa manca *allo zaino*? *Gli manca il manico.*

6. Che cosa manca *ai campi*? _____

7. Che cosa manca *all'albero*? _____

8. Che cosa manca *alle case piccole*? _____

10

Completa questa lettera con i pronomi indiretti corretti.

Cari Diana e Ilario,

come state? Tutto bene? Qui da noi tutto OK,

le feste sono vicine e voi ci mancate tanto.

Oggi abbiamo sentito anche Marco e Sabina

(sapete che si sono appena sposati?), non li vedevamo

da molto, così (1) _____ abbiamo telefonato per gli auguri di Natale.

Sabina sta bene e ci ha detto di dirvi che (2) _____ mancate molto. Ma quando

vi decidete a tornare? Ora Sabina lavora a Milano e il nuovo lavoro (3) _____

piace davvero molto. Marco invece sta sempre nella solita ditta sotto casa, ora

però viaggia tanto; circa tre mesi fa il suo capo (4) _____ ha chiesto se voleva

trasferirsi in Svezia. Immaginate un po' cosa (5) _____ ha risposto un pigrone

come lui!

Noi tutto bene, la solita vita. I bambini stanno bene, per Natale (6) _____

abbiamo comprato un grosso castello da montare in camera. Speriamo che

(7) _____ piaccia. E voi? Cosa fate a Natale?

Vi auguriamo un felice Natale e un fantastico nuovo anno.

Rocco e Marta

11

**Giovanni e Barbara sono al supermercato. Quante cose comprano?
Rispondi alle domande con il pronome partitivo ne.**

Quanta pasta comprano? Ne comprano un pacco. *un paquete*

1. Quanto prosciutto comprano? *Ne comprano 2*
2. Quanto formaggio comprano? _____
3. Quanto zucchero comprano? _____
4. Quante uova comprano? _____
5. Quanto latte comprano? *Ne comprano 2 litri*
6. Quante mele comprano? _____
7. Quanta marmellata comprano? _____

1 kg = un chilo / i

1 l = un litro / i

1 coppia = 2

3 coppie = 6

una fetta = a slice

12

I pronomi diretti. Anna telefona alla figlia in montagna. Completa il dialogo con i pronomi.

ALICE   Pronto?

MAMMA   Pronto ciao Alice sono la mamma. Buon anno!

ALICE   Ciao mamma, buon anno anche a te.

MAMMA   Come stai? Tutto bene? Siete pronti per la festa?

ALICE   Prontissimi.

MAMMA   Dove (1) _____ fate?

ALICE   (2) _____ facciamo qui a casa, ci siamo noi cinque e poi dei ragazzi di Bologna. Dei tipi davvero simpatici.

MAMMA   Non ne ho mai sentito parlare.

ALICE   Certo! (3) _____ conosciamo da poco. Siamo in tutto una decina di persone. C'è anche Marco, il ragazzo che mi piace. È davvero bellissimo, tutte (4) _____ guardano.

MAMMA   Dai, non esagerare! Cosa mangiate?

ALICE   I ragazzi fanno la spesa e poi noi (5) _____ aiutiamo a cucinare. Facciamo lo zampone con le lenticchie. Lo zampone è facile da cucinare, invece le lenticchie sono più difficili, quindi (6) _____ cucino io. Chissà che ci portino fortuna!

13

Luigi fa alcune cose per Natale. Sostituisci le parti sottolineate con un pronome diretto, indiretto o con il ne.

Regala <u>alla mamma</u> un portafogli. → <u>Le</u> regala un portafogli.
Compra <u>un libro</u> a Marco. → <u>Lo</u> compra a Marco.
Prepara <u>due torte</u> → <u>Ne</u> prepara due.

1. Manda <u>a suo fratello</u> in America un biglietto di Natale. _____
2. Compra <u>quattro panettoni.</u> _____
3. Telefona <u>a Carlo e Giulia</u> per fare gli auguri. _____
4. Aiuta <u>la mamma</u> a preparare il presepe. _____
5. Promette <u>alla sua fidanzata</u> di portarla in vacanza. _____
6. Apre solo <u>tre dei suoi regali.</u> _____
7. Regala <u>un libro di favole</u> a Giulia. _____
8. Regala <u>a Martina e Camilla</u> (le sue amiche preferite) due candele. _____
9. Prende a Giuliana <u>delle sciarpe.</u> _____
10. Prepara <u>agli amici</u> un dolce per la festa. _____

Ne compare 2 libri

14

Ecco cosa dicono alcune persone sulle loro preferenze. Completa le frasi con più, meno, come, di (+ articolo) o che.

1. Le scarpe basse sono decisamente ___*di (più)*___ comode ___*delle*___ scarpe con il tacco alto, soprattutto per chi come me deve stare in piedi per lavoro fino alla sera.

2. Mi piacciono i pantaloni stretti e aderenti, anche se penso che siano ___*meno*___ comodi ___*dei*___ pantaloni larghi. Oggi poi i pantaloni aderenti si trovano ___*più*___ nei mercatini dell'usato ___*che*___ nei negozi, sono fuori moda!

3. Gli abiti colorati mi piacciono ___*meno*___ ___*degli*___ abiti in tinta unita. Tutti mi dicono che sto bene con vestiti multicolore, ma io continuo a preferire i classici bianco e nero.

4. I maglioni mi piacciono ___*più*___ ___*delle*___ magliette. Io adoro tutti i tipi di maglione: quelli con il collo alto mi piacciono ___*come*___ quelli scollati.

5. Ho una passione per gli accessori, in particolare le cinture: di solito compro _meno_ cinture in pelle _che_ in plastica, perché si sa che quelle in plastica costano poco, ma quelle in pelle sono _più_ belle.

6. Adoro gli stivali, anche se li indosso _più_ in inverno _che_ in estate. Gli stivali con il tacco mi piacciono _come_ quelli bassi. Adesso sono di moda anche gli stivali colorati, ma io preferisco quelli neri.

15

Marco e Antonio si incontrano in tintoria. Completa i dialoghi inserendo l'aggettivo o il pronome possessivo corretto.

ANTONIO   Ciao Marco, cosa ci fai qui?

MARCO   Sono venuto a ritirare _recogér_ (1) _la mia_ giacca e (2) _i miei_ pantaloni, li ho usati a Capodanno ed erano tutti sporchi. Mi servono domani, devo andare a una fiera per lavoro e (3) _il mio_ capo mi vuole elegante. E tu? Come è andato _novia_ (4) _il tuo_ viaggio ai Carabi? È venuta anche (5) _la tua_ fidanzata?

ANTONIO   Benissimo. Sì, si. Abbiamo affittato un appartamento e devo dire che (6) _i miei_ padroni di casa sono stati gentilissimi. Tutto benissimo. E Marta come sta? E (voi) (7) _le veste_ figlie?

MARCO   (Noi) (8) _Il nostro_ pesti stanno benissimo, domani ricominciano la scuola.

COMMESSA   Scusi signore, è questo (9) _il Suo_ giaccone?

ANTONIO   Sì, è proprio (10) _il mio_ (pronome).

COMMESSA   Lei cosa deve ritirare?

MARCO   Una giacca e un paio di pantaloni gessati.

COMMESSA   Un attimo. Ecco qui, aveva però anche una camicia.

MARCO   No, no. Questa non è (11) _la mia_ (pronome).

COMMESSA   C'è scritto (12) _il suo_ nome, non si chiama Ferri Marco?

MARCO   Sì certo. Ma questa è una camicia da donna. Ah forse è di mia moglie.

COMMESSA   Vede che è (13) _la sua_ (pronome)?

16

Completa le frasi con un verbo al futuro e indica quella che, secondo te, è la risposta corretta.

1. Quanto _____ una borsa in pelle di Valentino?
   ☐ a. 300 €
   ☐ b. 600 €
   ☐ c. 1200 €

2. Quanti anni _____ Vasco Rossi?
   ☐ a. una trentina
   ☐ b. una quarantina
   ☐ c. una cinquantina

3. Quanto _____ cinque arance?
   ☐ a. 1 etto   ☐ b. 1 chilo   ☐ c. 2 chili

4. Quanto _____ delle scarpe di pelle?
   ☐ a. 200 €   ☐ b. 100 €   ☐ c. 50 €

5. Quanto _____ un neonato?
   ☐ a. 1 chilo
   ☐ b. 2 chili
   ☐ c. 3 chili

6. Che taglia _____ la donna nella foto?
   ☐ a. la 40
   ☐ b. la 44
   ☐ c. la 48

17 CD 2 t. 05

Al telefono. Ascolta i mini dialoghi e completa la tabella. Discuti con un compagno.

quali forme si usano per	
rispondere al telefono	
dire la propria identità	
chiedere di una persona	
dire che la persona cercata c'è/non c'è	
dire che la persona c'è ma che non può rispondere al telefono	
passare una persona	
controllare che il numero fatto sia giusto	
dire all'interlocutore che il numero fatto è sbagliato	

18

Completa queste conversazioni telefoniche scegliendo la battuta giusta mancante.

a. Buonasera Sig. Quirico, c'è Silvia? / **b.** Buongiorno, famiglia Marchi? / **c.** Buongiorno, sono il Dott. Sala, vorrei parlare con l'ingegner Guidi. / **d.** Un attimo, te lo chiamo. / **e.** Non è il 2456789? / **f.** Allora richiamo più tardi. / **g.** Grazie. / **h.** Pronto? / **i.** Mi scusi, ho sbagliato numero.

1. ● Sì, pronto?
   ○ _____ .
   ● No, questa è la famiglia Leoni.
   ○ _____ .
   ● No, questo è il 2456786.
   ○ _____ .
   ● Prego, di nulla.

2. ● Pronto?
   ○ _____ .
   ● Sì, ma sta studiando.

   ○ _____ .

3. ● Coget, buongiorno.
   ○ _____ .
   ● Resti in linea, glielo passo.
   ○ _____ .

4. ● _____ .
   ○ Ciao, sono Giada, cercavo Mino.
   ● _____ .
   ○ Grazie.

19

Abbina le frasi alla funzione corrispondente.

☐ 1. chiedere quanto costa	**a.** Ne voglio un chilo.
☐ 2. chiedere quanto pesa	**b.** Ho la 42.
☐ 3. dire cosa si vuole	**c.** Questa gonna è troppo stretta.
☐ 4. chiedere se c'è qualcosa	**d.** Ha del Parmigiano Reggiano?
☐ 5. dire la quantità	**e.** Quanto sarà?
☐ 6. dire la taglia	**f.** Avrebbe una gonna più grande?
☐ 7. dire che un capo non va bene	**g.** Quanto viene al chilo?
☐ 8. chiedere un'altra taglia	**h.** Mi serve del prosciutto cotto.

20 CD 2 t. 06

Completa questo dialogo in un negozio di abbigliamento con le battute del cliente nel box. Ascolta poi per controllare la soluzione.

a. Credo che sia un po' piccola, non avete una media? / **b.** Sì, grazie. / **c.** Questo bianco mi piace molto, è in lana? / **d.** Forse è meglio il grigio chiaro, è un po' più luminoso. Senta, quanto costa? / **e.** Non ha preferenze particolari, ma sicuramente non gli piacciono molto i colori forti. / **f.** Certo, d'accordo. / **g.** Sì, è un regalo per mio padre. / **h.** Che taglia è? / **i.** Accidenti!

COMMESSO   Buongiorno.

CLIENTE   Salve, cercavo un maglione di lana da uomo.

COMMESSO   È per qualcuno in particolare?

CLIENTE   (1) _____

COMMESSO   Che colori gli piacciono?

CLIENTE   (2) _____

COMMESSO   Allora abbiamo dei bei maglioni grigi oppure bianchi o neri. Glieli faccio vedere.

CLIENTE   (3) _____

COMMESSO   Sì, sì, è pura lana vergine.

CLIENTE   (4) _____

COMMESSO   Questa è una small, va bene?

CLIENTE   (5) _____

COMMESSO   Controllo subito… Purtroppo in questo colore l'abbiamo finita, ma ho la media nello stesso modello in grigio scuro o in grigio chiaro.

CLIENTE   (6) _____

COMMESSO   Viene 65 €.

CLIENTE   (7) _____

COMMESSO   Sì, ma è davvero un bel maglione.

CLIENTE   (8) _____

COMMESSO   Le serve un pacco regalo?

CLIENTE   (9) _____

21 CD 2 t. 07

Ascolta queste parole e scrivi una X nella colonna del suono corrispondente, [d] come in verdura o [t] come in tabaccheria.

	[t]	[d]			[t]	[d]
1.	☐	☐		7.	☐	☐
2.	☐	☐		8.	☐	☐
3.	☐	☐		9.	☐	☐
4.	☐	☐		10.	☐	☐
5.	☐	☐		11.	☐	☐
6.	☐	☐		12.	☐	☐

pronuncia e ortografia

22

Scrivi le lettere che mancano scegliendo tra <t/tt> e <d/dd>.

1. La ____ u ____ a è un in ____ umen ____ o in ____ ispensabile per chi va in pales ____ ra.

2. È in ____ ossa ____ a da ____ u ____ i, uomini e donne; si usa per ____ enere su i pan ____ aloni: è la cin ____ ura.

3. Per mol ____ a gen ____ e i pan ____ aloni s ____ re ____ i sono scomodi.

4. In es ____ a ____ e l'in ____ umen ____ o più como ____ o ____ a me ____ ere a ____ osso è sicuramen ____ e una maglie ____ a di co ____ one.

5. Le ____ onne i ____ aliane ten ____ enzialmen ____ e sono mol ____ o a ____ ente ai de ____ agli ____ ella moda.

8 unità Mi fai vedere qualche foto della tua famiglia?

comprensione orale

1 CD 2 t.08

a Ascolta queste brevi interviste a ragazzi che parlano dei loro studi e del loro rapporto con la scuola. Che tipo di studenti sono?

Giulia	Francesca	Rosalba	Luigi
		curiosa	

pigro   indisciplinato
serio   curioso

b Riascolta e completa la tabella.

	età	scuola attuale	progetti futuri
Giulia			
Francesca			
Rosalba			
Luigi			

c Completa il racconto di Alessandro scegliendo tra le espressioni seguenti.

materie   hanno bocciato   prendevo dei bei voti
mi sono iscritto   la sufficienza

Mi chiamo Alessandro, ho 30 anni e lavoro come ingegnere civile. Ho fatto il *liceo* scientifico e poi (1) _____ all'università, a Ingegneria.
Durante gli anni della scuola superiore (2) _____ nelle (3) _____ scientifiche mentre in quelle umanistiche avevo appena (4) _____ perché non mi piacevano. Sono sempre stato promosso: solo al terzo anno di liceo mi (5) _____ perché il professore di italiano diceva che non sapevo scrivere.

comprensione scritta

2

a **Leggi l'articolo e associa il disegno al paragrafo corrispondente.**

Preparativi di nozze: il galateo moderno

§1 Un tempo le regole erano chiare. La sposa saliva all'altare con il vestito lungo e bianco; oggi invece il bianco è solo una delle tante possibilità. In alternativa la sposa può scegliere l'abito corto e in diversi colori delicati ed eleganti come crema, avorio, rosa. Se la sposa andava all'altare in bianco, lo sposo la doveva accompagnare in *tight*. Oggi per i ragazzi giovani, abituati a vestirsi sportivamente, è più adatto un completo scuro con camicia e cravatta.

§2 Ancora oggi per tradizione lo sposo compra gli anelli, ma se prima la fede era semplice e d'oro giallo, oggi si preferiscono i modelli firmati.

§3 Secondo l'etichetta un mese prima delle nozze i genitori degli sposi dovrebbero annunciare il lieto evento con biglietti di carta color avorio, allegando alla partecipazione l'invito al pranzo. Ma nove volte su dieci sono gli sposi stessi a ufficializzare il loro matrimonio usando biglietti meno seri.

§4 L'usanza di preparare una lista di nozze per evitare regali doppi resiste. Ma cosa cambia nelle scelte? Spesso gli sposi hanno già molte cose di base perché convivono da tempo. Nelle case c'è più bisogno di funzionalità. Quindi sono di moda, oltre al tradizionale servizio di piatti, gli oggetti di design, elettrodomestici e pezzi d'antiquariato.

§5 Un tempo la famiglia della sposa donava agli invitati, in segno di ringraziamento, cinque confetti racchiusi in un oggetto prezioso, la bomboniera, che finiva in bella mostra nei salotti. Oggi le bomboniere sono un ricordo da salotto delle nonne.

§6 Un tempo al ricevimento gli sposi invitavano parenti e amici, il banchetto durava ore e aveva un menu lungo e ricco. Gli sposi delle ultime generazioni invece fanno un pranzo per i parenti e anche una festa per gli amici.

(adattato da "*Donna Moderna*", 4/6/2003)

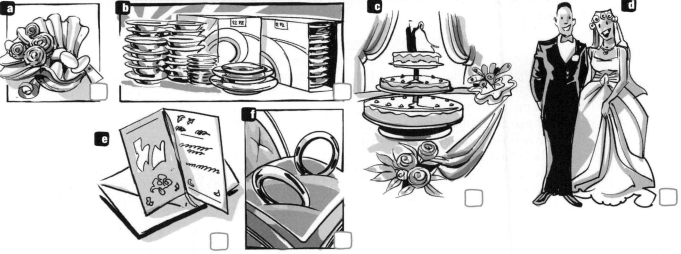

b **Vero o falso?**   **V** **F**

1. Oggi gli sposi si vestono in modo meno classico.   ☐ ☐
2. Oggi non è più lo sposo che compra gli anelli nuziali.   ☐ ☐
3. Un tempo i genitori annunciavano il matrimonio ai parenti.   ☐ ☐
4. Nel passato non esisteva l'usanza di preparare una lista di regali.   ☐ ☐
5. Un tempo si regalavano le bomboniere per ringraziare gli invitati.   ☐ ☐
6. Oggi gli sposi fanno due feste separate, una con i parenti e una con gli amici.   ☐ ☐

3

La famiglia. Usa le informazioni che trovi sotto per ricostruire dove sono seduti i parenti della famiglia di Gianni.

a. <u>Mia madre</u> è a capotavola sulla destra vicino a <u>mia moglie</u>.

b. <u>Mia figlia Camilla</u> è vicino a mia moglie.

c. Vicino a me ci sono <u>la nonna Irene</u> e <u>mio nipote Ernesto</u>.

d. <u>Mio padre</u> si trova tra <u>mio cognato Carlo</u> e nonna Irene.

e. Vicino a suo marito Carlo c'è <u>mia sorella Tonina</u>.

f. Mia sorella Tonina è seduta di fianco a <u>mia zia Anna</u>.

g. Mia zia Anna è seduta vicino a <u>suo figlio Alberto</u>.

h. A capotavola sulla sinistra c'è <u>mio nonno Sandro</u>.

4

In coppia. A turno domandate e rispondete come nell'esempio, scegliendo tra le parole che avete sotto.

Come si dice "il fratello di mio marito"?   *Si dice "cognato".*

scapolo	nipote (2 volte)	suocera	vedovo
cugina	zitella	genero	cognata

1. la madre di mio marito
2. il marito di mia figlia
3. il figlio della sorella di mio marito
4. la figlia di mio figlio
5. la sorella di mia moglie

6. un uomo che non si è sposato
7. la figlia del fratello di mia madre
8. una donna che non si è sposata
9. un uomo che non ha più la moglie perché è morta

 5

Che cosa si dice in queste occasioni?

◻ 1. Oggi compio 22 anni!

◻ 2. Ho passato l'esame con 30/30.

◻ 3. Domani ho l'esame di Linguistica.

◻ 4. Ieri alle 8.20 è nata la piccola Nicole!

◻ 5. Ho discusso la tesi e ho preso 110 e lode!

◻ 6. Ci sposiamo!

a. In bocca al lupo!

b. Congratulazioni a mamma e papà!

c. Auguri per un felice matrimonio!

d. Auguri di buon compleanno, allora!

e. Complimenti!

f. Congratulazioni per la tua laurea!

lessico

6

L'aspetto fisico. Completa il disegno con le parole che conosci.

testa

4. _____

orecchie

5. _____

1. _____

2. _____

braccio _____

3. _____

gamba _____

piedi _____

	Singolare	Plurale
	la mano	**le** mani
	il braccio	**le** braccia

7

Guarda questi 3 disegni e completa i testi con le parole per descrivere l'aspetto fisico.

Francesca   Marinella   Carmelo

1. **Francesca** è _alta_ un metro e sessantanove. È _____ , infatti pesa solo cinquantacinque chili. Ha i capelli _____ e _____ . Ha gli _____ grandi e porta gli occhiali.

2. **Marinella** è piuttosto _____ ed è per questo motivo che porta sempre i tacchi _____ . Ha una corporatura normale, _____ cinquanta chili. Ama portare le minigonne. Ha i _____ corti e una bocca _____ .

3. **Carmelo** è molto _____ (un _____ e ottanta) e robusto (pesa novantadue _____). È calvo e ha i _____ . Ha le spalle _____ , le _____ muscolose e le gambe _____ .

8

La personalità. Trova 8 aggettivi nascosti. Poi completa le frasi sotto.

B	C	F	A	Y	T	D	S	C	O	R	T	E	S	E
M	O	N	T	I	V	T	I	M	I	D	A	C	O	R
D	S	C	O	R	B	O	N	A	G	N	L	M	K	R
S	I	M	P	A	T	I	C	O	B	U	L	P	J	N
E	A	D	D	G	U	N	E	O	N	S	E	K	U	N
R	B	L	O	P	I	G	R	A	M	L	G	Z	I	C
I	K	O	F	M	B	E	A	X	J	U	R	N	O	X
O	N	E	R	V	O	S	A	T	M	C	O	G	Z	A

1. La mia migliore amica si chiama Luciana. È calma, generosa, ma anche un po' _____ : quando parla diventa rossa.

2. Un'altra compagna che mi piace molto è Cristina perché è _____ : dice sempre quello che pensa.

3. Con Alessandra invece non vado d'accordo perché è _____ . Non ha mai voglia di fare niente.

4. Ma la compagna che proprio non mi piace è Francesca perché è molto _____ : se le chiedi qualcosa risponde sempre in modo maleducato e aggressivo. È anche molto _____ , si arrabbia per niente!

5. Tra i ragazzi Luciano è il mio preferito perché è _____ e sempre contento anche se prende un brutto voto.

6. Lino è il più _____ e intelligente, fa sempre tutti i compiti. È il primo della classe ma è anche molto _____ .

9

**Com'è il contrario di questi aggettivi?
Scegli tra i prefissi in- e s-.**

 prudente → im*p*rudente
(con parole che cominciano con *p* e *b* il prefisso *in-* diventa *im-*)

Mario è sensibile. → Mario è insensibile.
Carla è fortunata. → Carla è sfortunata.

1. Mario è (*felice*) _____ da quando i suoi genitori si sono separati.
2. La segretaria della scuola mi ha risposto al telefono in modo (*cortese*) _____ .
3. L'uso del *tu* in questa frase è (*corretto*) _____ .
4. Arrivo subito, un attimo, sono al telefono, non essere così (*paziente*) _____ !
5. In classe ho uno studente molto (*disciplinato*) _____ che si alza senza chiedere il permesso e parla mentre spiego.

10

Completa questa lettera con i possessivi, con o senza articolo.

Cara Peggy,

grazie per (1) _____ lettera che mi hai scritto in cui mi racconti della

(2) _____ famiglia che mi pare davvero simpatica e un po' "matta" come dici tu.

Ora ti presento la mia. Noi siamo quattro in famiglia, (3) _____ padre, (4) _____

madre, (5) _____ fratello Ciro e io.

Viviamo a Pavia in una grande casa: (6) _____ appartamento ha 5 stanze e c'è anche

il giardino dove (7) _____ due cani possono correre e saltare.

Io ho 21 anni e frequento l'università della (8) _____ città, sono iscritta al terzo anno

di Scienze dell'Educazione. (9) _____ fratello Ciro invece ha 16 anni e fa il terzo

anno dell'Istituto tecnico per il turismo. (10) _____ scuola è fuori città quindi deve

prendere l'autobus tutte le mattine.

Ora (11) _____ genitori sono in vacanza, in Spagna, con (12) _____ amici. Intanto

io e (13) _____ fratello andiamo a mangiare a pranzo da (14) _____ zia Liliana che

abita vicino a noi e per cena cuciniamo noi.

La vita senza i genitori è bella ma anche molto faticosa!

Scrivimi presto!

Un caro saluto

Luciana

11

Trasforma al plurale gli elementi sottolineati e fai tutti i cambiamenti necessari.

Il tuo nonno materno era affettuoso. → I tuoi nonni materni erano affettuosi.

1. Mia zia andava sempre in vacanza in montagna con sua nipote.
2. Tuo fratello litigava spesso con il mio amico.
3. Lui va ad abitare in campagna con sua sorella e lei rimane in città con suo figlio.
4. Mia cugina era molto gelosa dei suoi giocattoli.
5. Il nostro professore era molto severo se non studiavamo.
6. Non ho ancora conosciuto il vostro zio americano.
7. Mio fratello s'incontra una volta all'anno con i suoi vecchi compagni di classe.

12

Coniuga i verbi all'imperfetto.

Passavamo sempre l'estate in montagna. (*Prendere*) (1) _____ una casa in affitto, per tre mesi, da luglio a settembre. Di solito, (*essere*) (2) _____ case lontane dall'abitato; e mio padre e i miei fratelli (*andare*) (3) _____ ogni giorno, col sacco da montagna sulle spalle, a fare la spesa in paese. Non (*esserci*) (4) _____ divertimenti o distrazioni. (*Passare*) (5) _____ la sera in casa, attorno alla tavola, noi fratelli e mia madre. Mio padre se ne (*stare*) (6) _____ a leggere nella parte opposta della casa.

Di solito, in quelle villeggiature in montagna, ci (*venire*) (7) _____ mia nonna, la madre di mio padre. Non (*abitare*) (8) _____ con noi, ma in un albergo in paese. (*Andare, noi*) (9) _____ a trovarla, ed (*essere*) (10) _____ là seduta sul piazzaletto dell'albergo, sotto l'ombrellone; (*essere*) (11) _____ piccola, con minuscoli piedi calzati di stivaletti neri; (*essere*) (12) _____ fiera di quei piccoli piedi ed (*essere*) (13) _____ fiera di quella testa di capelli bianchi. Mio padre la (*portare*) (14) _____ ogni giorno "un po' a camminare". (*Andare, loro*) (15) _____ sulle strade principali perché lei (*essere*) (16) _____ vecchia e non (*potere*) (17) _____ praticare i sentieri, soprattutto con quegli stivaletti a piccoli tacchi.

(adattato da *Lessico famigliare*, di Natalia Ginzburg, Einaudi, Torino, 1963)

13

Guarda i disegni e racconta cosa faceva la famiglia Fadda quando andava in vacanza. Dove andava?

14

Guarda queste coppie di disegni e di' che cosa succede ora e che cosa succedeva prima.

esserci	1. andare	2. avere	3. abitare	4. essere	5. fare

Prima c'era la pioggia, ora c'è il sole.

15

Trasforma queste frasi nella forma di cortesia.

Ti telefono domani. → *Le telefono domani.*

1. Ti passo Carla, vuole parlarti.
2. Ti consiglio di studiare con qualcuno.
3. Ti richiamo domani. D'accordo?
4. Cosa ti piace? Il vestito corto o lungo?

5. Ma io ti conosco. Sei un'amica di Vanessa.
6. Che cosa ti è successo ieri sera?
7. Ti invito alla mia festa di laurea.
8. Ti sveglio alle 7.

16

Completa con i pronomi diretti o indiretti.

1.
● Hai telefonato a Marco?
○ Sì e _____ ho invitato per le vacanze di Natale.
● E lui che cosa _____ ha risposto?
○ Che viene volentieri.

2.
● Dovevo incontrare Paola e Sonia a lezione, ma non _____ ho viste. Tu _____ hai già sentite per stasera?
○ No, ma _____ telefono tra poco.

3.
● Signora Nanni, può parlare più forte che non _____ sento?
○ Certo. Così _____ sente?
● Sì, meglio.
○ _____ chiamo per darle una bella notizia. Gina si sposa a maggio e _____ invita al suo matrimonio.

4.
● Cosa regaliamo a Gina per il suo matrimonio?
○ Sai se _____ serve qualcosa?
● Non saprei, ma so che _____ piace molto la ceramica orientale.

5.
● Chi ti ha regalato questo cellulare?
○ Marco perché _____ ho aiutato a preparare l'esame di diritto.
● E come _____ è andato?
○ Bene, ha preso 30/30.

6.
● Ciao mamma, come va? E papà?
○ Bene, ma _____ mancate molto.
● Anche voi. Pino dice sempre che siete i suoi nonni preferiti e che _____ vuole tanto bene.

17

Correggi gli errori che gli studenti hanno fatto con i pronomi.

1. A Maria è molto piaciuto il servizio da tè che gli hai regalato per il suo matrimonio.
2. Signora, ti manca qualcosa? Devo passare in cartoleria.
3. Mauro non sopporta sua sorella, la risponde sempre in modo scortese.
4. Se non guardi la televisione, perché non lo spegni?
5. Hai scritto ai tuoi cugini? Sì, li ho mandato ieri un biglietto d'auguri.
6. Signora Rasario, La consiglio di iscrivere suo figlio a Lingue.
7. Ho telefonato ai miei nonni e gli ho ringraziati.
8. Quando ero al liceo mi piacevano le materie scientifiche e li studiavo con passione.
9. Io e tua madre vi aspettiamo. Quando mi venite a trovare?
10. Le aiuto ad attraversare la strada, Signor Gigli?

18

Rispondi alle domande usando i pronomi. Fai attenzione all'accordo del participio passato.

Hai comprato il dizionario di italiano?   No / prendere in prestito / in biblioteca
→ No, l'ho preso in prestito in biblioteca.

1. Avete visto Anna?   Sì / incontrare / a lezione / due giorni fa.   *L'abbiamo incontrata*
2. Hai comprato i guanti nuovi?   Sì / prendere / ieri / al mercato.   *li ho presi*
3. Ha telefonato al signor Fenoglio?   Sì / chiamare / stamattina.   *lo ho chiamato* / *l'ho chiamato*
4. Quando hai scritto a tuo fratello?   Scrivere / ieri.   *gli ho scritto ieri.*
5. Hai già risposto a tua sorella?   Sì / rispondere / qualche giorno fa.   *Le ho risposto*
6. Hai telefonato agli zii?   Sì / telefonare / un attimo fa.   *Li ho telefona*
7. Avete fatto la spesa?   Sì / fare.   *L'ho fatta* / *L'abbiamo fatta.*
8. Che cosa ha promesso tuo fratello a Maria?   Promettere / un cellulare nuovo.
9. Che cosa vi ha raccontato la nonna?   Raccontare / di quando lei era bambina.
10. A tua sorella è piaciuto il regalo?   Sì / piacere / moltissimo.

19

Completa queste frasi con le preposizioni.

| a | di |
| con | per |

1. Ho studiato all'università _____ 4 anni.
2. Mia sorella si è iscritta _____ Lingue l'anno scorso.
3. Ha un figlio _____ 20 anni.
4. Luigi si è sposato _____ una ragazza greca.
5. Vado molto d'accordo _____ i miei fratelli.
6. Ho frequentato l'università _____ tre anni.

20

Trasforma queste frasi come nell'esempio.

Amo molto mia sorella ma litighiamo spesso.
→ Amo molto mia sorella **anche se** litighiamo spesso.

1. Ho preso un bel voto in matematica ma non mi piace.
2. Mette la minigonna ma ha le gambe storte.
3. Gioca a pallavolo ma non è alta.
4. Vedo poco i miei fratelli ma li sento spesso per telefono.
5. Non ho fatto l'università ma mi piaceva studiare.
6. Non studiavo molto ma sono sempre stato promosso.
7. Marco ha voluto sposarsi ma non ha ancora finito gli studi.

21   **CD** 2 t.09

Ascolta e completa le parole con <l>, <ll>, <gli>.

1. fami___a
2. fi___o
3. fi___o
4. farfa___a
5. mo___e
6. ___i
7. bi___etto
8. sba___o
9. sba___o
10. va___a
11. a___
12. a___i
13. fo___e
14. fo___e
15. sve___are
16. sve___are
17. me___o
18. me___o

22 CD 2 t.10

a **L'enfasi. Ascolta e sottolinea le parole su cui c'è l'enfasi.**

a. **1.** Mio <u>fratello</u> maggiore è sposato e ha tre figli.

  2. Mio fratello maggiore è sposato e ha tre figli.

  3. Mio fratello maggiore è sposato e ha tre figli.

b. **1.** Quando ero piccola passavo le vacanze estive in campagna nella casa dei nonni.

  2. Quando ero piccola passavo le vacanze estive in campagna nella casa dei nonni.

  3. Quando ero piccola passavo le vacanze estive in campagna nella casa dei nonni.

c. **1.** Sogno una donna sportiva di bell'aspetto, amante degli animali.

  2. Sogno una donna sportiva di bell'aspetto, amante degli animali.

  3. Sogno una donna sportiva di bell'aspetto, amante degli animali.

b **Leggi le frasi mettendo l'enfasi sulla parola sottolineata. Poi scegli la domanda appropriata alla risposta.**

"Sto frequentando il <u>quarto</u> anno della scuola per traduttori ed interpreti."

  ☑ **a.** Stai facendo il quinto anno?

  ☐ **b.** Stai facendo l'università di lingue?

  ☐ **c.** Stai frequentando il quarto anno in una scuola privata?

1. "Ho preso 25 all'esame di diritto <u>pubblico</u>".

  ☐ **a.** Hai preso 23 all'esame di diritto pubblico?

  ☐ **b.** Non hai superato l'esame di diritto pubblico?

  ☐ **c.** Hai preso 25 all'esame di diritto privato?

2. "Mio <u>fratello</u> maggiore è sposato e ha tre figli".

  ☐ **a.** Tua sorella maggiore è sposata e ha tre figli?

  ☐ **b.** Tuo fratello maggiore è sposato e ha due figli?

  ☐ **c.** Tuo fratello minore è sposato e ha tre figlie?

3. "Mia zia è separata <u>senza</u> figli".

  ☐ **a.** Tua zia è divorziata senza figli?

  ☐ **b.** Tuo zio è separato?

  ☐ **c.** Tua zia è separata con due figli?

4. "Quando ero piccolo passavo le vacanze estive in <u>campagna</u> nella casa dei nonni".

  ☐ **a.** Da piccolo passavi le vacanze estive in montagna nella casa dei nonni?

  ☐ **b.** Da piccolo passavi le vacanze in campagna nella casa degli zii?

  ☐ **c.** Da piccolo passavi le vacanze di Pasqua in campagna dai nonni?

5. "Litigavo con i miei genitori per <u>gli orari</u> di rientro".

  ☐ **a.** Litigavi con i tuoi fratelli per gli orari di rientro?

  ☐ **b.** Litigavi con i tuoi genitori per i brutti voti a scuola?

  ☐ **c.** Ti arrabbiavi con i tuoi genitori per gli orari di rientro?

6. "Sogno una donna <u>sportiva</u> di bell'aspetto, amante degli animali".

  ☐ **a.** Vorresti una donna sportiva, bella e amante dei viaggi?

  ☐ **b.** Vorresti una donna bionda, bella e amante degli animali?

  ☐ **c.** Vorresti una donna bionda, alta e amante dello sport?

Verrà proprio un bell'appartamento!

1 CD2 t.11

Ascolta questo dialogo tra due amiche che parlano di casa e arredamento.

a Indica se le informazioni seguenti sono vere (V) o false (F).

		V	F
1.	La padrona di casa ha ristrutturato il suo vecchio appartamento.	☐	☐
2.	La cucina e il soggiorno sono separati da una parete.	☐	☐
3.	Ha comprato un tavolo più piccolo.	☐	☐
4.	Alla padrona di casa piacciono molto i camini perché li ha sempre avuti.	☐	☐
5.	Ha fatto due bagni.	☐	☐
6.	La sua camera da letto è diventata più piccola.	☐	☐

b Scegli da questa lista i mobili nuovi che la padrona di casa ha comprato (sono 4).

☐ 1. la cucina a gas
☐ 2. il tavolo della cucina
☐ 3. il frigorifero
☐ 4. la lavastoviglie
☐ 5. le tende del soggiorno
☐ 6. il divano
☐ 7. il camino
☐ 8. la credenza
☐ 9. l'armadio

2

Leggi questi annunci di "Affitti" e cerca la soluzione più adatta per queste persone.

☐ **a.** Uomo d'affari svedese in città per sei mesi cerca un piccolo ma signorile appartamento ammobiliato con posto auto.

☐ **b.** Famiglia inglese con due figli (16 e 9 anni) cerca un'abitazione spaziosa, possibilmente con una camera per ogni ragazzo. Non può mancare il giardino. Si fermerà a Bergamo per un paio d'anni.

☐ **c.** Due studentesse straniere con pochi soldi senza auto cercano un appartamento arredato.

Affitto
Bergamo città

1)
Bergamo *Terrazze fiorite* posizione tranquilla e residenziale affittasi splendida porzione di villa bifamiliare completamente arredata con tre letto, salone, cucina, doppi servizi, lavanderia, portico, ampio giardino, garage, ottime rifiniture, 1700 mensili spese incluse, Studio Guerini 035-2056407

2)
Bergamo *Conca D'oro* affittiamo in deliziosa palazzina monolocale arredato termoautonomo 450 mensili solo referenziati 035-4243081

3)
Bergamo *Via Camozzi* 2° piano, cucina, soggiorno, due letto, bagno, balconcino, Euro 5.500 annui + spese. Area Immobiliare, 035-252169

4)
Bergamo *Via Paglia* in elegante stabile affittiamo signorile trilocale arredato di mq 100 con cucina abitabile grande soggiorno due camere doppi servizi, box, termoautonomo, ampio giardino privato, 1.100 mensili, spese condominiali escluse. Immobiliare IP 035-4589032

5)
Bergamo *S. Alessandro* affittiamo spettacolare monolocale finemente arredato piano alto box 600 mensili termoautonomo. Immobiliare Canovine 035-290764

6)
Città Alta *zona mura* signorile trilocale vuoto: cucina, soggiorno, pranzo, due letto, 2 bagni, balcone, 700 mensili più spese. Area Immobiliare, 035-252169

3

a Grazia ha offerto la sua casa a una conoscente straniera che passerà qualche giorno nella sua città. Leggi le istruzioni che le ha lasciato per l'uso della casa e scegli le affermazioni giuste.

X Natalie

Ciao, ben arrivata!

1) Il tuo letto è questo in soggiorno: le lenzuola e il copripiumino sono puliti, ma normalmente non li stiro.

2) In bagno c'è sempre acqua calda: puoi fare le docce e i bagni che vuoi.

3) Per regolare il riscaldamento devi girare la rotellina marrone che si trova sotto la luce nell'entrata, per metterlo al max giri a destra; di sera, se esci, abbassalo.

4) In cucina prendi pure quel poco che c'è (olio, caffè, ecc.)

5) Le immondizie sono un po' complicate:

• carta + cartone: entrata, vicino alle scarpe;

• biologico: sotto il lavandino, secchio di plastica bianco, piccolo, a sx;

• vetro + plastiche: fuori nei raccoglitori sotto le cassette della legna;

• restante (poco!): secchio sotto il lavandino, a dx.

Ci vediamo domenica, per l'ora di cena, ma ti chiamo prima.

Buon soggiorno, a presto

Grazia

PS. Nell'armadio in camera mia ci sono molti cassetti vuoti e attaccapanni: se vuoi puoi metterci i tuoi vestiti. Ti lascio una guida e una carta di Ancona.

		V	F
1.	Natalie deve dormire in camera da letto.	☐	☐
2.	Per avere l'acqua calda deve girare una rotellina che c'è in soggiorno.	☐	☐
3.	Natalie deve buttare gli avanzi di cucina nel secchio bianco e piccolo.	☐	☐
4.	Sotto il lavandino ci sono due secchi per l'immondizia.	☐	☐
5.	Il contenitore per la carta è fuori dalla casa.	☐	☐
6.	Natalie può usare l'armadio che c'è in camera da letto.	☐	☐
7.	La padrona di casa ritorna in settimana.	☐	☐

b Cerca nel testo le abbreviazioni per:

massimo _____ destra _____ sinistra _____

4

Completa le frasi scegliendo una parola della coppia di contrari.

1. Abbiamo comprato un bilocale in una zona _____ vicino a molti negozi, cinema e banche. (*centrale/periferica*)

2. Purtroppo questo appartamento è _____ fino a fine anno. (*libero/occupato*)

3. Ho finalmente trovato un monolocale in centro _____ con molto gusto e con mobili nuovi. (*vuoto/arredato*)

4. Alla fine Carlo ha deciso di _____ l'appartamento facendo un mutuo perché gli affitti sono troppo alti. (*comprare/affittare*)

5. Ho affittato l'appartamento di via Carlo Magno a un _____ che paga puntualmente. (*padrone di casa/inquilino*)

lessico

Che disordine! Mobili, oggetti e stanze della casa. Abbina le parole ai mobili e agli oggetti di questa casa. Poi metti nella stanza giusta gli oggetti che sono fuori posto.

1. il letto	6. la lampada	11. il bidet	16. il cavatappi	21. il tappeto
2. la scrivania	7. il quadro	12. il fornello	17. il water	22. la caffettiera
3. il divano	8. la poltrona	13. la doccia	18. l'armadio	
4. la vasca	9. il lavandino	14. il colapasta	19. la lavatrice	
5. lo specchio	10. il tavolo	15. le sedie	20. gli scaffali	

Il letto (1).
La caffettiera va in cucina.

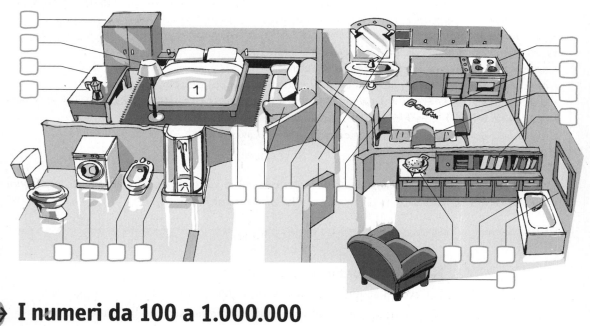

I numeri da 100 a 1.000.000

100 (cento)	1869 (milleottocentosessantanove)	100.000 (centomila)
120 (centoventi)	2000 (due<u>mila</u>)	645.000 (seicentoquarantacinquemila)
200 (duecento)	3500 (tremilacinquecento)	1.000.000 (un milione)
570 (cinquecentosettanta)	10.000 (diecimila)	
1000 (<u>mille</u>)	98.720 (novantottomilasettecentoventi)	

6 CD 2 t. 12

Ascolta i prezzi di queste case e scrivili.

1. _____   2. _____   3. _____   4. _____   5. _____

6. _____   7. _____   8. _____   9. _____   10. _____

7 CD 2 t. 13

Leggi le rate delle spese condominiali di alcune famiglie e poi fai uno o più ascolti per verificare l'esattezza della tua lettura.

1.	Cagnotti Stefano	1ª rata	€ 696,71		5.	Rottigni Salvatore	1ª rata	€ 1.181,71
2.	Nappi Ciro	1ª rata	€ 485,00		6.	Pratese Gaetano	1ª rata	€ 347,08
3.	De Luciani Carmelo	1ª rata	€ 732,12		7.	Karkini Hasan	1ª rata	€ 673,21
4.	De Capua Carla	1ª rata	€ 589,00		8.	Grassi Mario	1ª rata	€ 1.023,14

grammatica

8

Costruisci delle frasi con se come nell'esempio:

La lavatrice *rompersi* un'altra volta   →   Se la lavatrice si romperà un'altra volta
(noi) *dovere* cambiarla.   dovremo cambiarla.

1. (Lei) non *venire* a riparare il riscaldamento entro domani / (io) *chiamare* un altro tecnico.
2. I miei vicini di casa *continuare* a suonare il pianoforte dopo le 22.00 / (io) *avvisare* l'amministratore del condominio.
3. (noi) *avere* abbastanza soldi / (noi) *cambiare* la cucina.
4. L'ascensore *rompersi* di nuovo / *bisognare* cambiarlo.
5. (Tu) *arrivare* tardi / (io) *andare* da sola a vedere l'appartamento che ci ha proposto l'agenzia.
6. (Loro) *avere* un bambino / (loro) *comprare* un appartamento più grande.
7. Giulio *guarire* dall'influenza / (noi) *passare* il Capodanno nella casa di montagna dei miei.

9

La tua amica Paola ti lascerà la sua casa per una settimana. Ecco le promesse che le fai. Usa i seguenti verbi:

| ti prometto che | ti giuro che |
| stai tranquilla che | ti assicuro che |

non usare il telefono   *Ti prometto che non userò il telefono.*

1. non fare rumore
2. tenere la televisione a basso volume
3. non portare altri amici
4. non fumare in casa
5. non lasciare le luci accese
6. pulire e mettere in ordine
7. dare da mangiare al gatto
8. non accendere la radio dopo le 23.00

10

Completa l'oroscopo con i verbi al futuro.

PESCI

AMORE   (*Vivere*-voi) (1) _____ dei momenti stupendi con il partner.

LAVORO Dal 25 tutto (*essere*) (2) _____ difficile, (*avere*) (3) _____ liti e incomprensioni con i vostri superiori.

SALUTE La vostra condizione fisica (*migliorare*) (4) _____ se (*fare*) (5) _____ attività sportiva.

DENARO (*Esserci*) (6) _____ spese improvvise.

LEONE

AMORE   La luna vi (*essere*) (7) _____ amica: (*fare*) (8) _____ incontri interessanti nel fine settimana.

LAVORO (*Essere*) (9) _____ abilissimi a evitare discussioni con i vostri colleghi e superiori che vi (*apprezzare*) (10) _____ più del solito.

SALUTE La salute non vi (*dare*) (11) _____ nessun problema, (*sentirsi*) (12) _____ in ottima forma.

DENARO (*Dovere*) (13) _____ controllarvi nelle spese perché non (*mancare*) (14) _____ i momenti difficili.

11

Che cosa sono secondo te questi oggetti? A che cosa serviranno? Usa il futuro per fare delle supposizioni.

Questo oggetto sarà probabilmente un cavatappi...

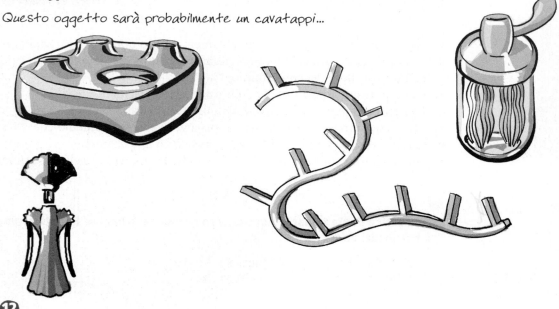

12

Completa questi dialoghi con il futuro per fare supposizioni dei verbi essere **e** avere.

1. ● Chi ha bussato?
   ○ _____ l'idraulico. L'ho chiamato perché in bagno non viene l'acqua calda.
2. ● Chissà dove Marina tiene gli asciugamani.
   ○ _____ nell'armadietto che c'è in bagno.
3. ● Non trovo l'asciugacapelli!
   ○ _____ su uno scaffale nel ripostiglio.
4. ● Guarda che bella poltrona in pelle. Starebbe bene nel tuo studio!
   ○ Sì, ma chissà quanto _____ cara!
5. ● Rispondi tu al telefono che sono in bagno!
   ○ Chi _____ ?
   ● Tua madre forse!
6. ● Che bella questa credenza! È molto vecchia?
   ○ Eh sì, _____ più di cent'anni.

13

Preposizioni/espressioni di luogo. Fai le domande e rispondi come nell'esempio, scegliendo la preposizione semplice o articolata giusta.

vaso? tavolo (su / in / sopra) *Dov'è il vaso? È sul tavolo.*

1. libri? scaffali (in / su / sotto)
2. piatti? credenza (vicino a / tra / in)
3. gatto? poltrona (in / davanti a / su)
4. quadro? cassettiera (su / sopra / davanti a)
5. comodino? letto (davanti a / a destra di / sopra)
6. cucina a gas? frigo e lavandino (dietro a / vicino a / tra)
7. scrivania? finestra (in / vicino a / dietro a)
8. libreria? corridoio (sotto / a sinistra di / in fondo a)

14

Guarda il disegno e rispondi alle domande. Scegli tra su, sopra, sotto, in.

1. Dove sono i calzini?
2. Dove sono le scarpe?
3. Dov'è il portacenere?
4. Dov'è la giacca?
5. Dov'è lo zaino?
6. Dov'è la cintura?
7. Dove sono i libri?
8. Dove sono i CD?
9. Dov'è il quadro?
10. Dov'è la valigia?
11. Dove sono i pantaloni?
12. Dov'è il computer?

15

Scrivi delle frasi secondo il modello.

(Io) entrare nel negozio d'arredamento – (Io) incontrare una mia collega
→ *Mentre <u>entravo</u> nel negozio d'arredamento <u>ho incontrato</u> una mia collega.*

1. (Io) uscire di casa – (Io) incontrare il postino che mi ha dato un pacco
2. (Io) parlare al telefono – Il gatto bere il mio latte
3. Gianni andare al lavoro – (Lui) avere un incidente
4. Mio figlio andare a scuola in autobus – (Loro) rubargli il portafoglio
5. (Io) riposarmi sul divano – Suonare il campanello della porta di casa
6. (Noi) essere in vacanza – Entrare i ladri nel nostro appartamento
7. (Io) parlare con il mio direttore – Squillare il mio telefonino

16

Completa le frasi con il passato prossimo o l'imperfetto.

1. Ieri (*incontrare*-io) _____ Francesco e poi (*andare*-noi) _____ a prendere qualcosa al bar.

2. Ieri (*incontrare*-io) _____ Francesco mentre (*uscire*-lui) _____ da un bar del centro.

3. La settimana scorsa Sandra (*perdere*) _____ il portafoglio e quindi non (*potere fare*) _____ la spesa.

4. La settimana scorsa Sandra (*perdere*) _____ il portafoglio mentre (*fare*) _____ la spesa.

5. Ieri (*venire*) _____ Giulio a casa nostra mentre (*cenare*-noi) _____ .

6. Ieri (*venire*) _____ Giulio e poi (*cenare*-noi) _____ a casa mia.

7. Ieri sera Sara (*andare*) _____ a letto mentre io (*riordinare*) _____ la cucina.

8. Ieri Sara (*andare*) _____ a letto e poi io (*riordinare*) _____ la cucina.

17

Trasforma le frasi con perché o siccome.

> Ho chiamato l'idraulico **perché** non veniva l'acqua calda in bagno.
> CAUSA in 2ª posizione
>
> **Siccome** non veniva più l'acqua calda in bagno ho chiamato l'idraulico.
> CAUSA in 1ª posizione

Ho dovuto chiamare il fabbro perché ho perso le chiavi del garage.
→ Siccome ho perso le chiavi del garage ho dovuto chiamare il fabbro.

1. Cerco un altro appartamento perché per questo pago un affitto troppo alto.
2. Abbiamo intenzione di cambiare casa perché vorremmo un giardino.
3. Ho chiamato il medico perché Marisa aveva la febbre molto alta.
4. Chiameremo l'imbianchino perché i muri della cucina e del soggiorno sono molto sporchi.
5. Ho telefonato all'idraulico perché la caldaia è rotta.
6. È venuto l'elettricista perché alcune prese della casa non funzionavano più.
7. Abbiamo messo il camino perché d'inverno in taverna faceva molto freddo.
8. Ho messo le tende alle finestre perché d'estate entra troppo sole.
9. Ho tolto tutti i tappeti dalle stanze perché mia figlia è allergica alla polvere.

18

Completa questo dialogo con le battute mancanti.

Il Signor Franchi cerca un appartamento da affittare. Va in un'agenzia immobiliare.

SIGNORE   Buongiorno.

AGENTE   (1) _____

SIGNORE   Vorrei affittare un monolocale arredato. Avete qualcosa di libero?

AGENTE   (2) _____ ?

SIGNORE   Non più di 500 euro al mese.

AGENTE   Dunque, abbiamo un monolocale in piazza Pontida a 350 euro al quinto piano.

SIGNORE   (3) _____ ?

AGENTE   No, purtroppo no, è una casa vecchia.

SIGNORE   (4) _____ ?

AGENTE   Sì, abbiamo un monolocale di 40 mq in via Locatelli a 400€ al mese, ben arredato e c'è anche la cantina.

SIGNORE   (5) _____ ?

AGENTE   È vicino all'ospedale, in una zona molto trafficata.

SIGNORE   (6) _____ .

AGENTE   Allora ho ancora una possibilità, un monolocale in centro, in una via laterale e tranquilla, ma costa 600 al mese.

SIGNORE   (7) _____ ?

AGENTE   Sì, sono incluse. Deve pagare solo il gas e la luce.

SIGNORE   (8) _____ ?

AGENTE   Certo. Le va bene un appuntamento per domani alle 17?

SIGNORE   (9) _____

Funzioni

19 CD2 t.14

Ascolta queste coppie di parole, una con [n] o [m] e l'altra con [nn] o [mm].
Sottolinea la parola che viene pronunciata per prima.

1. nono – nonno
2. sonno – sono
3. sano – sanno
4. pinna – Pina
5. tono – tonno
6. panne – pane

7. mamma – m'ama
8. geme – gemme
9. vorremo – vorremmo
10. grammo – gramo
11. faremmo – faremo
12. camino – cammino

20 CD2 t.15

Ortografia. Ascolta e correggi gli errori di ortografia che riguardano: <n - m> <n - nn>
<m - mm> <n - gn>

AMICA	Allora, avete conprato casa, finalmente!
MOGLIE DEL SIGNORE	Sì e siamo anche molto soddisfatti. Dai, siediti che ti faccio vedere la piamtina dell'appartamemto. Allora, qui si entra nel soggiormo che comunica a sinistra con la cucinna.
AMICA	Ah, però, il soggiorno affaccia anche su un bel terrazzo!
MOGLIE DEL SIGNORE	Sì, in effetti è uno dei notivi che ci ha fatto decidere per questo appartamento, così d'estate potremmo mangiar fuori. Poi dal soggiornno si passa nella zona motte. Qui sulla destra c'è un piccolo bano con la doccia, poi sempre su questo lato la cammeretta del banbino che dà su un balcone. Qui a sinistra invece c'è la camera matrinoniale e tra le due cammere il banno un po' più gramde con la vasca.

Come stai?

"Dal fumo si può guarire"

"Dal fumo si può guarire" è un'iniziativa dell'**Osservatorio Fumo Alcool e Droga** dell'**Istituto Superiore di Sanità** in collaborazione con Radio 24 – Il Sole 24 Ore. L'obiettivo è sensibilizzare gli ascoltatori sui rischi del fumo, compreso quello passivo. L'appuntamento con "Dal fumo si può guarire" è dal lunedì al venerdì intorno alle 16.55, durante la trasmissione ESSERE E BENESSERE per tutto il mese di maggio.

1 🔘 **CD** 2 t. 16

a **Ascolta la prima trasmissione di Radio 24 sulla campagna contro il fumo e rispondi.**

1. Con chi parla la giornalista durante la trasmissione?

   ☐ a. con un ascoltatore
   ☐ b. con un esperto del problema
   ☐ c. con un medico

2. Quand'è la Giornata Mondiale contro il fumo?

   _____

3. La Giornata Mondiale contro il fumo è organizzata

   ☐ a. da Radio 24
   ☐ b. dall'Istituto Superiore di Sanità
   ☐ c. dall'Organizzazione Mondiale della Sanità

b **Riascolta la trasmissione e scegli la risposta corretta.**

1. I fumatori in Italia

   ☐ a. sono diminuiti
   ☐ b. continuano ad aumentare
   ☐ c. sono 15 milioni

2. Negli ultimi anni

   ☐ a. è diminuito il numero dei giovani che fumano
   ☐ b. è aumentato il numero dei giovani che fumano
   ☐ c. molti ragazzi con meno di 14 anni hanno cominciato a fumare

3. Quale sarà il tema della Giornata Mondiale contro il fumo?

   ☐ a. i giovani e il fumo
   ☐ b. la difficoltà di smettere di fumare
   ☐ c. lo sport

4. Che cosa comincia il 31 maggio?

   ☐ a. i Mondiali di Calcio
   ☐ b. il divieto di fumare negli stadi
   ☐ c. una nuova trasmissione

5. Per saperne di più sull'argomento gli ascoltatori possono

   ☐ a. telefonare durante la trasmissione
   ☐ b. vedere il sito Internet di Radio 24
   ☐ c. telefonare all'organizzazione Mondiale della Sanità

c **Ascolta un'ultima volta e prova a scrivere quali sono gli obiettivi di questa trasmissione sulla campagna contro il fumo.**

Sensibilizzare i giovani a spegnere l'ultima sigaretta, _____

_____

_____

comprensione scritta

2

Leggi l'articolo e rispondi alle domande.

STOP AL FUMO NEI LOCALI PUBBLICI

Dal 10 gennaio 2005, in Italia è vietato fumare in tutti i luoghi chiusi pubblici e privati aperti al pubblico. Si potrà fumare solo in zone separate dal resto del locale, se dotate di adeguati aspiratori d'aria e recintate da muri sui 4 lati. Una legge molto rigida, la più intransigente d'Europa, che ha l'obiettivo di difendere soprattutto le fasce più deboli della popolazione, donne incinte e bambini, dal fumo passivo. Ma quanti sono i fumatori in Italia? A fumare oggi sono il 31,5% degli uomini e il 17,2% delle donne: in tutto 12 milioni di persone che mettono quotidianamente a rischio la loro salute.

Sono troppe. Il fumo oggi viene considerato la causa di morte più evitabile per chi vive nella nostra società: le stime, infatti, attribuiscono al fumo di tabacco 85.000 morti all'anno di cui il 25% in un'età compresa tra i 35 e i 65 anni.

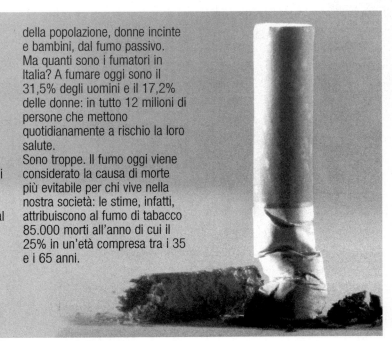

1. Quanti fumatori ci sono in Italia? _____
2. Quante sono le donne che fumano? E gli uomini? _____
3. Quanti morti ci sono ogni anno per il fumo? _____
4. Da quando c'è la legge che vieta di fumare nei locali pubblici? _____

3

Leggi l'articolo sui medici di famiglia e indica quali informazioni sono presenti nel testo.

Quando non stiamo bene, quando abbiamo bisogno di un consiglio o di un confronto per problemi di salute, il medico di famiglia (o medico di medicina generale) è il primo riferimento: è il nostro medico di fiducia e conosce la nostra situazione personale e familiare, le nostre abitudini di vita, i nostri problemi particolari. È il medico di famiglia che concorda con noi altre visite specialistiche o esami, oppure, se necessario, il ricovero in ospedale.

Ogni cittadino ha diritto ad avere gratuitamente l'assistenza di un medico di fiducia che sceglie negli elenchi dell'Azienda Sanitaria Locale della propria città. Per i bambini fino a 14 anni di età si può scegliere un medico pediatra, specialista dei problemi dei bambini. Per i cittadini stranieri extracomunitari con permesso di soggiorno la scelta del medico di famiglia è a tempo determinato e ha la stessa validità del permesso di soggiorno.

L'ambulatorio del medico di famiglia è aperto almeno cinque giorni la settimana e rimane chiuso nei giorni festivi e il sabato dalle 14. L'orario di apertura deve esser esposto nella sala d'attesa. Quando l'ambulatorio è chiuso, per visite urgenti ci si può rivolgere alla guardia medica dalle 20 alle 8 dei giorni feriali e dalle 14 del sabato fino alle 8 del lunedì.

(adattato da www.saluter.it)

☐ 1. Se devo fare degli esami, posso andare direttamente in ospedale.
☐ 2. L'assistenza del medico di famiglia è gratuita.
☐ 3. Tutta la famiglia deve avere lo stesso medico di fiducia.
☐ 4. Posso chiamare il medico di famiglia anche di notte.
☐ 5. Se si vuole, si può cambiare il proprio medico.
☐ 6. Prima di fare una visita specialistica è meglio chiedere un parere al medico di famiglia.
☐ 7. I cittadini stranieri extracomunitari non devono pagare per avere il medico di famiglia.
☐ 8. Il medico di famiglia visita i malati nel suo ambulatorio.
☐ 9. Il medico di famiglia visita i malati tutti i giorni fino alle 14.
☐ 10. Per le visite urgenti si deve sempre chiamare la guardia medica.

4

Fai un elenco delle cose che ci sono nell'armadietto dei medicinali e di' a che cosa servono.

Nell'armadietto dei medicinali ci sono:
delle pastiglie per il mal di testa _____ _____

_____ _____

_____

5

Leggi l'esempio. Con l'aiuto dei disegni completa le frasi utilizzando le espressioni non ... più e ancora.

- Stai meglio?
- *Non ho più la febbre, ma ho ancora il raffreddore.*

1

- È vero che Carlo ha un cane e un gatto?
- No, _____ ,
_____ ma _____
_____ .

2

- Vedi ancora Laura e Filippo?
- Non _____
Laura, si è trasferita a Como, ma
_____ Filippo,
lavora nel mio stesso ufficio.

3

- Vai sempre in piscina il martedì e in palestra il giovedì?
- No, _____
_____ , ma _____
_____ .

4

- Come stai oggi?
- Non molto bene, _____
_____ , ma _____
_____ .

5

- Come va il lavoro? Insegni sempre italiano e francese?
- No, _____
_____ , ma _____
_____ .

6

Completa le risposte utilizzando non ... più oppure ancora insieme alle espressioni avere fame / sete / freddo / sonno.

1. Vuoi ancora dell'acqua?

   No, grazie, _____ .

2. Mi sembri stanco stamattina...

   Sì, _____ .

3. Vuoi un altro maglione o una giacca?

   No, grazie, _____ .

4. Hai mangiato abbastanza?

   No, _____ .

7

Trova nel crucipuzzle 8 nomi di parti del corpo.

A	M	M	I	C	L	T	L	O	C	A	P
G	O	I	S	P	I	E	V	I	O	Z	I
T	F	L	A	A	Z	S	P	A	L	L	E
R	D	G	A	N	C	T	O	L	L	I	D
B	R	A	C	C	I	A	C	H	O	I	E
U	T	M	S	I	U	T	L	M	I	N	A
T	T	B	R	A	S	M	A	N	O	I	P
O	G	E	R	T	A	I	O	E	T	R	S

8

Completa il testo con i verbi mancanti scegliendo tra:

saltellare   sdraiarsi   allungare   piegare (2)   sedersi   girare la testa   correre

Se avete spesso mal di schiena, provate a fare questi semplici esercizi ogni mattina.

- Se potete stare fuori, (1) _____ per 5 minuti alzando le ginocchia verso l'alto.
- (2) _____ ben diritti su una sedia e (3) _____ lentamente a destra e a sinistra per 10 volte. Poi (4) _____ la testa avanti e indietro sempre molto lentamente per altre dieci volte.
- (5) _____ per terra e (6) _____ il più possibile le braccia verso l'alto. Tenete la posizione per qualche secondo, poi rilassate le braccia.
- In piedi con le gambe unite, (7) _____ la schiena verso il basso molto lentamente.
- In piedi, (8) _____ prima su un piede e poi sull'altro per 20 volte.

9

Riordina le battute del dialogo.

- 1 a. Buongiorno signora Tozzi, cosa c'è che non va?
- ☐ b. D'accordo. E senta, potrebbe consigliarmi qualcosa per il mio bambino che ha la tosse?
- ☐ c. Probabilmente è un'influenza ...
- ☐ d. Sì, ma poca, trentasette e mezzo, solo la sera.
- ☐ e. No, direi che per almeno tre giorni deve stare a casa. Le faccio un certificato.
- ☐ f. Prenda un po' di tachipirina solo se le sale la febbre. Stia a riposo e beva molti liquidi.
- ☐ g. Se la tosse è molto secca gli dia questo sciroppo, ma soprattutto lo tenga al caldo. In questi giorni fa particolarmente freddo, meglio non uscire troppo ...
- ☐ h. E cosa posso prendere?
- ☐ i. Allora non posso andare al lavoro?
- ☐ l. Ha ragione. La ringrazio, arrivederci.
- ☐ m. Da un paio di giorni sono molto raffreddata e ho un forte mal di testa...
- ☐ n. Ha la febbre?

funzioni

10

Trasforma le frasi usando un verbo all'imperativo e il pronome adatto, come nell'esempio.

Devi mettere la giacca. → *Mettila!*

1. Dovete ascoltare questa canzone. → _____
2. Deve scrivere all'avvocato. → _____
3. Non devi rompere il termometro. → _____
4. Dobbiamo parlare alla professoressa. → _____
5. Non deve fare questo lavoro. → _____
6. Non dovete prendere quei giornali. → _____
7. Devi comprare delle scarpe nuove. → _____
8. Non dobbiamo mangiare quei dolci. → _____

11

Completa con i pronomi necessari mettendoli prima o dopo il verbo.

Bellezza e salute *i consigli della nonna*

Capelli

Non disperatevi se (1) _____ cadono _____ i capelli! Raccogliete un mazzo di ortiche e (2) _____ fate _____ bollire per 10 minuti. Filtrate l'acqua e (3) _____ usate _____ per massaggiare i capelli ogni sera. Ottimi risultati, vedrete!

Pelle

L'inverno è arrivato e il freddo (4) _____ rovina _____ la pelle? Fate bollire delle bucce d'arancia, (5) _____ lasciate _____ raffreddare e (6) _____ mettete _____ sul viso per dieci minuti. Vedrete che morbidezza!

Tosse

Mia nonna (7) _____ ha insegnato _____ a fare uno sciroppo contro la tosse: bisogna preparare una camomilla forte e (8) _____ mescolar _____ con 3 cucchiai di zucchero e 10 foglie di salvia. Poi si lascia bollire per 10 minuti, finché si forma uno sciroppo denso. Quando è freddo, bisogna (9) _____ metter _____ in una bottiglietta pulita. (10) _____ prendete _____ 2 cucchiai ogni ora.

Mal di gola?

(11) _____ propongo _____ un rimedio efficacissimo: frullate delle carote bollite e (12) _____ mescolate _____ con miele e acqua tiepida. Aggiungete qualche goccia di limone al succo e (13) _____ bevete _____ 4 o 5 volte durante la giornata. Vedrete: a sera il mal di gola non l'avrete più!

12

Farsi male. Completa le frasi con il verbo più adatto. Fai attenzione ai pronomi e all'accordo del participio passato.

schiacciarsi   rompersi una gamba   tagliarsi   scottarsi

farsi male   ferirsi

Laura si è schiacciata un dito nella porta.

1. ● Perché Giulia non è venuta in piscina?
   ○ È caduta dalla bicicletta e _____ .

2. ● Cosa ti è successo? Perché hai un dito fasciato?
   ○ _____ con un coltello da cucina.

3. Vado a trovare mia madre in ospedale: ieri _____ con il ferro da stiro.

4. Ieri a scuola dei bambini hanno rotto il vetro di una finestra e Lisa _____ a una mano.

5. ● È vero che avete avuto un incidente in macchina?
   ○ Sì, ma fortunatamente non _____ .

13

Che cosa ti fa male? Completa le frasi con l'espressione fare male (al singolare o al plurale) e il pronome adatto.

Le fa male la testa

Le fanno male i denti

1. Non mangi? No, *mi fa male* lo stomaco.

2. Che cos'ha il suo bambino?
   _____ la pancia.

3. Ho portato mia figlia dal medico perché
   _____ le orecchie.

4. Sei andato a correre questa mattina?
   Sì, e adesso _____ le gambe.

5. Se _____ la schiena, ti faccio un bel massaggio.

6. Bambini, non mangiate tutte quelle caramelle, perché poi _____ i denti.

7. Cos'ha Paola? Non sta bene?
   No, _____ la testa.

14

Completa il dialogo tra medico e paziente con i verbi al passato prossimo o all'imperfetto.

● Allora, mi parli un po' dei problemi di salute che (*avere*) (1) _____ nella sua infanzia.

○ Quando (*essere*) (2) _____ piccolo soffrivo di otite. (*avere*) (3) _____ spesso la febbre e così (*prendere*) (4) _____ molti antibiotici.
   A cinque anni però (*andare*) (5) _____ a vivere vicino a Napoli, sul mare, e (*guarire*)
   (6) _____ .

● Il mare Le (*fare*) (7) _____ bene...

○ Benissimo, da allora non (*prendere*) (8) _____ più un antibiotico...

● Però mi (*dire*) (9) _____ che (*stare*) (10) _____ in ospedale due volte....

○ Sì, una volta (*cadere*) (11) _____ e (*rompersi*) (12) _____ una spalla, l'altra mi hanno tolto le tonsille.

Trasforma il racconto dal presente al passato.

Quando vado a trovare i nonni in campagna, passo il pomeriggio con i miei cugini, Lina e Giovanni. Dopo pranzo, mentre i nonni riposano, andiamo in bicicletta al fiume a prendere il sole. Verso le sei torniamo e stiamo un po' di tempo con i nonni. Dopo cena prendiamo di nuovo le biciclette e andiamo a fare un giro nel paese vicino dove ci sono degli amici di Lina che hanno la macchina. Facciamo quattro chiacchiere, beviamo una birra e poi andiamo in un locale dove suona il ragazzo di Lina. Fanno della musica sudamericana che a me piace molto: balliamo fino a tardi e ci divertiamo moltissimo.

Sabato scorso sono andato a trovare i nonni _____

_____

_____

_____

_____

_____

16

Completa il racconto di Sonia con:

| qualche | qualcosa | nessuno (2) |
| qualcuno | niente | tutti |

Sabato sera ero a casa da sola e non avevo (1) _____ da fare. Ho telefonato a (2) _____ amico perché avevo voglia di andare al cinema, ma non ho trovato (3) _____ . Allora ho deciso di andare a bere (4) _____ in un bar vicino a casa mia. Speravo di incontrare (5) _____ che conoscevo, ma non c'era (6) _____ . Mentre stavo uscendo, è suonato il telefono. Era Paola: "Allora, arrivi? La festa è cominciata, manchi solo tu!". Mi ero dimenticata del compleanno di Paola! Ecco dove erano finiti (7) _____ i miei amici!

17

Scrivi delle frasi per dire quante volte fai queste cose:

– andare in vacanza   *Vado in vacanza due volte all'anno.*

– fare la spesa   _____

– andare al cinema   _____

– lavarsi i denti   _____

– andare in piscina   _____

– fare la doccia   _____

– andare dal parrucchiere   _____

– mangiare della frutta   _____

> Prenda queste gocce **tre volte al giorno**, vada a fare dei massaggi **una volta alla settimana** e faccia una visita di controllo **una volta all'anno**.

18

Completa le frasi con:

> prima di
> durante
> dopo

1. _____ pranzo bevo sempre il caffè.
2. Per favore, spegnete il cellulare _____ la lezione.
3. Sei sempre in ritardo, sono arrivato _____ te.
4. _____ la pausa di mezzogiorno sono andato in palestra.
5. Ieri sera, _____ il film, siamo andati a bere qualcosa e siamo rimasti fuori fino a tardi.
6. Mi piace bere un aperitivo _____ cena.
7. Mi ha telefonato _____ il viaggio, ma ero in treno e non ho sentito il telefono suonare.
8. Ci vediamo al bar _____ la lezione e mangiamo un panino insieme.

19

Trasforma le frasi usando mentre come nell'esempio.

*Mi sono addormentato **durante** il film.*
*Mi sono addormentato **mentre** guardavo il film.*

> *durante* + nome
> *mentre* + verbo

1. Ho conosciuto Fred durante le vacanze.   _____
2. Durante il viaggio ho letto il giornale.   _____
3. Durante la cena mi piace ascoltare la radio.   _____
4. Barbara si è fatta male durante la partita di tennis.   _____
5. Viviana mi ha chiamato durante la visita al museo.   _____

pronuncia e ortografia

I suoni [f] (*foglia*) e [v] (*voglia*)

20   CD 2 t.17

Ascolta le parole senza senso e indica con una X dove senti il suono [f], come in frigorifero.

1.	2.	3.	4.	5.	6.	7.	8.

21   CD 2 t.18

Ascolta le parole senza senso e indica con una X dove senti il suono [v], come in vivere.

1.	2.	3.	4.	5.	6.	7.	8.

22 CD 2 t.19

Ascolta le parole e indica in quali senti il suono [f], come in fungo, in quali il suono [v], come in vaso, e in quali tutte e due, come in favola.

	1.	2.	3.	4.	5.	6.	7.	8.	9.	10.
[f]										
[v]										
[f] e [v]										

23 CD 2 t.20

Leggi e abbina le frasi della colonna A con una delle esclamazioni della colonna B. Poi ascolta le frasi e completale ad alta voce con l'esclamazione che hai scelto.

A

☐ 1. C'è del ghiaccio sulla strada.
☐ 2. Hanno suonato alla porta.
☐ 3. Il bimbo dorme.
☐ 4. Fumi un'altra sigaretta?
☐ 5. Geo, ti chiamano al telefono!
☐ 6. Il treno sta partendo.
☐ 7. È un vaso di cristallo, è molto fragile.

B

a. Uffa!
b. Vengo subito!
c. Fai attenzione!
d. Fai presto!
e. Fai piano!
f. Vado io!
g. Vai piano!

24 CD 2 t.21

Ascolta e completa il dialogo con le lettere <v>, <vv>, <f>, <ff>.

● Ciao, come ___a?

○ Bene, ho ___inalmente tro___ato casa ___icino all'Uni___ersità.

● Da_____ero?

○ Sì, un ___ero a___are, pago solo 300 euro di a___itto al mese. E tu, come è andato il tuo ___iaggio di la___oro in S___izzera?

● È stata un'a_____entura! ___igurati che c'è stata una terribile ne___icata e sono rimasto ___ermo in autostrada per sette ore.

○ Che s___ortuna!

Autovalutazione

Facciamo il punto della situazione

> Per osservare e controllare i tuoi progressi, ecco una scheda con alcune domane da usare alla fine di ogni unità.

UNITÀ _____

Cosa ho imparato? _____

Cosa mi è sembrato più difficile?
- ☐ capire gli ascolti
- ☐ leggere
- ☐ fare gli esercizi di grammatica
- ☐ parlare
- ☐ imparare parole nuove

Che cosa può aiutarmi a migliorare i miei punti deboli? _____

_____

_____

Parole difficili da ricordare: _____

_____

Funzioni da fissare (vedi sintesi): _____

_____

Argomenti grammaticali da chiarire: _____

_____

Argomenti grammaticali da esercitare: _____

_____

_____

Altro: _____

_____

_____

 strategie

Ascoltare

Ridurre l'ansia

1

a **Cosa fai quando ascolti? Quali comportamenti ti sembrano più importanti?**

1) Quando ascolto non cerco di capire ogni parola.
2) Ad ogni ascolto capisco qualcosa di più.
3) Ascolto più facilmente se già conosco qualcosa sull'argomento.
4) Cerco di capire bene la consegna: se so a cosa devo fare attenzione è più facile ascoltare.
5) Per me non è importante capire tutto, è importante capire il senso generale.
6) Se non capisco una parola, non mi preoccupo: a volte il significato di una parola sconosciuta si può capire andando avanti ad ascoltare.
7) Il mio modo di ascoltare dipende da CHE COSA e da PERCHÉ ascolto: telefonare per chiedere informazioni sul prezzo di un albergo è diverso da telefonare a un amico per sapere cosa fa a Capodanno.

b **Quali dei comportamenti sopra ti aiutano a ridurre l'ansia? Confrontati con due compagni.**

Prepararsi ad ascoltare

2

a **Preparati ad ascoltare un dialogo. Se pensi di avere delle difficoltà nell'ascolto prova a seguire questa procedura.**

Ascolta più volte, ogni volta con uno scopo preciso:
- Nel primo ascolto non preoccuparti di capire tutto, non perderti nei dettagli. Cerca di capire alcune informazioni generali: dove si svolge la conversazione? (DOVE?) Qual è lo scopo della conversazione? (PERCHÉ?) Qual è l'argomento generale della conversazione? (CHE COSA?) Chi sono gli interlocutori? Si conoscono? (CHI?)
- Nel secondo ascolto cerca invece di entrare nel dettaglio: quali sono le diverse informazioni che la persona vuole avere?
- Nel terzo ascolto metti insieme le informazioni ricavate dal primo e dal secondo ascolto.

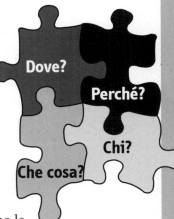

Dove?

Perché?

Chi?

Che cosa?

b **Questo modo di concentrarti su informazioni diverse in ascolti diversi ti aiuta? Completa la scheda su ciò che hai trovato facile o difficile fare nei tre ascolti. Poi discuti con i compagni.**

	facile	difficile	perché
primo ascolto			
secondo ascolto			
terzo ascolto			

Controllare l'ascolto

3

a **Dopo ogni attività di ascolto ti può essere utile rispondere a queste domande.**

1) Ho trovato questa attività facile o difficile? Perché?
2) Come ho cercato di risolvere gli eventuali problemi? Che cosa mi ha aiutato?
3) Che cosa penso di aver bisogno di fare per svolgere meglio un'attività come questa?

b **Confronta le tue risposte con quelle dei tuoi compagni.**

Leggere

Prima della lettura

Per migliorare la tua capacità di lettura, ci sono alcune cose che puoi fare prima di leggere il testo:

- cercare di capire che **tipo** di testo hai davanti: è un articolo di giornale? è una pubblicità?
- immaginare di cosa parla il testo guardando le immagini, i titoli, la forma del testo.

1

a **Guarda le immagini. Che tipo di testi sono?**

- ☐ a. l'annuncio per una casa
- ☐ b. una lettera
- ☐ c. un volantino pubblicitario

b **Che cosa ti ha aiutato di più a capire il tipo di testo?**

- ☐ a. la forma del testo
- ☐ b. le immagini
- ☐ c. alcune parole (es. il titolo)
- ☐ d. altro: _____

1

alla tutto usato in perfetto stato
giostra

abbigliamento e attrezzature per bambini da 0 a 10 anni

Apriamo al pubblico
il 1° febbraio ritiriamo vestiti e oggetti per bambini (lettini, passeggini, giochi, ecc.)

Per vendere o acquistare
dalle 10 alle 15.30 da martedì a sabato

Per contattarci
tel. 035 412375 – 335 5432178
Per trovarci
siamo a Bergamo, in via Moroni 110

Caro Saverio,
Ti scrivo per sfogarmi un po' e per chiederti un consiglio vist... che sei avvocato. Ieri sera è successa una tragedia! No, esagero. Rientravo da ..

2

Ercolano

nel verde stupendo nuovo appartamento in villa, mq 95, soggiorno, cucina abitabile, due camere, 2 bagni, box e cantina, no spese condominiali, **da non perdere** € 170.000.

3

Anticipare i contenuti del testo.

Quando hai capito che tipo di testo è, puoi farti delle domande su cosa ci sarà scritto:

la lettera da un amico in vacanza → dov'è?
→ con chi è?
→ cosa fa?

l'annuncio per una casa → dov'è la casa?
→ quanto è grande?
→ che stanze ci sono?
→ quanto costa?

2

a **Ora prova tu. Devi leggere il testo scritto sul questo biglietto dell'autobus.**

Che informazioni pensi di trovare?

| Biglietto ordinario singolo | TARIFFA € 1,00 |
| Carnet di 10 biglietti ordinari | TARIFFA € 9,20 |

Validità: vale per un periodo di 75 minuti dalla convalida. Può essere utilizzato sulla rete urbana di Milano, sui tratti in Milano di tutte le linee interurbane ATM, compresa la linea estiva per l'Idroscalo (ID), delle Ferrovie dello Stato e delle Ferrovie Nord e sul Passante ferroviario.
Modalità di utilizzo: va timbrato all'inizio del viaggio. Su metropolitana, FNME e Passante ferroviario consente di effettuare un solo viaggio ed occorre sempre convalidare. Sui servizi speciali per i Cimiteri e sulla linea estiva per Idroscalo (ID) vale per una sola corsa. Può essere utilizzato anche per il trasporto di un bagaglio a mano. La vendita dei documenti di viaggio, abbonamenti o biglietti, avviene presso gli Uffici Abbonamenti ATM e\o le rivendite private (bar, tabacchi, edicole), con modalità che variano in relazione al documento considerato.

Durante la lettura: come leggere?

Possiamo leggere in tanti modi diversi: ad esempio, non leggiamo nello stesso modo l'elenco del telefono e un romanzo.

Quando leggi, sapere qual è **scopo** della lettura ti aiuta a capire un testo. Puoi leggere lo stesso testo in modo diverso, se lo scopo è diverso.

3

a **Guarda il testo numero 1 alla pagina precedente e immagina di leggerlo in due situazioni diverse:**

1. Hai trovato questo volantino nella posta. Lo leggi per sapere che cosa dice.
2. Hai chiesto ad un'amica se sa dove vendono cose per bambini usate (di seconda mano) e lei ti ha dato questo volantino.

Per ogni situazione, prima di leggere, pensa a qual è lo scopo della tua lettura: perché leggi il testo?

☐ Per sapere di cosa parla?

☐ Per cercare delle informazioni?

b **Come hai letto il volantino, pensando alle due diverse situazioni? Ci sono differenze tra le due letture?**

Quando leggo **per capire di cosa parla un testo in generale**, faccio una lettura veloce per capire le idee generali. Questa lettura si chiama **orientativa**.

Quando invece **cerco nel testo alcune informazioni specifiche**, faccio una lettura selettiva, focalizzando solo alcune parole o righe.

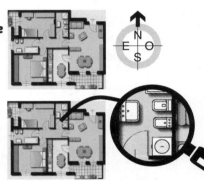

c **Ora scegli tre testi del libro e leggi le consegne di lettura. Poi completa la tabella e indica il tipo di testo, lo scopo della lettura e il tipo di lettura più adatto (orientativa o selettiva). Poi confrontati con un compagno.**

TESTI	tipo di testo	scopo della lettura	tipo di lettura
Unità _____ Es. _____ p. _____	Presentazione di alberghi		
Unità _____ Es. _____ p. _____	Articolo giornale		
Unità_____ Es. _____ p. _____			

Dopo la lettura

Dopo aver letto un testo, alcune domande possono aiutarti a capire come migliorare il tuo modo di leggere:

● Come ho letto il testo?

● Che cosa ho trovato difficile (l'argomento, il significato di alcune parole, le domande dell'esercizio)?

● Come ho affrontato queste difficoltà?

● Che cosa posso fare per affrontarle meglio?

Parlare

Quando parlo...

 1

● **Leggi cosa dicono alcuni studenti quando devono parlare in italiano. E tu? Cosa fai quando devi parlare?**

> Sono molto timida e se devo parlare in italiano mi agito; prima penso bene a quello che devo dire e quando parlo cerco di fare in fretta, di non fermarmi mai.

> Quando parlo so che posso fare degli errori, ma non ho paura. Cerco di improvvisare, non mi preoccupo se non so una parola, cerco altri modi per farmi capire, uso spesso i gesti e il viso.

> Io mi sento sicura quando ho tutto sotto controllo, per questo ho sempre sotto mano il mio dizionario o il mio quaderno degli appunti, che guardo se non mi ricordo una parola; se ho bisogno, chiedo aiuto.

Quando parlo in Italiano _____
_____
_____
_____
_____
_____
_____
_____
_____
_____
_____

Quando mi mancano le parole...

 2

Ⓐ **Dialogare con gli altri in una lingua straniera è difficile perché spesso "mancano le parole" e non si ha molto tempo per pensare. Quali strategie usi tu quando ti manca una parola? Segna quelle che usi più di frequente e poi discuti con i tuoi compagni.**

Uso altre parole per spiegarmi

Uso un disegno o i gesti

Uso la mia lingua madre.

Traduco letteralmente una parola dalla mia lingua.

Cerco sul dizionario.

b **Usi altre strategie?**
Svolgi questa attività
di conversazione
e prova a usare
queste strategie.

"Dimmi come mangi e ti dirò chi sei".
In coppia.

Parlate delle abitudini alimentari nella vostra famiglia.

1) Qual è il piatto che si cucina di più nella tua famiglia?
2) Chi è più bravo a cucinare?
3) Cosa non deve mai mancare nel tuo frigorifero?
4) Qual è il tuo piatto preferito?
5) Qual è il tuo pranzo ideale?

Prepararsi a un compito

Quando devo prepararmi a parlare è importante prendere qualche minuto per pensare a cosa voglio dire:

● Raccolgo le parole/le espressioni che mi servono (ad esempio le cerco sul dizionario, sul quaderno, sul libro, le chiedo all'insegnante...) e prendo appunti che mi servono da guida quando parlo.

● Cerco di semplificare e di evitare le parole e le espressioni che non conosco (ad es. se non conosco il nome di un cibo uso la parola generica *cibo*).

● Provo a ripetere nella mia testa a bassa voce quello che voglio dire.

3

 a **Con un compagno**
devi preparare un ruolo
per questo *Role Play*.
Cosa puoi fare per prepararti?

studente A	studente B
Hai appena finito l'università e ti hanno appena assunto come interprete. Lunedì devi lavorare in un convegno con molte persone importanti ma non hai abiti per l'occasione. Entra in un negozio, guarda gli abiti e gli accessori e fatti aiutare dal commesso.	Sei il commesso in questo negozio di abbigliamento, entra un nuovo cliente, osservalo bene, cerca di capire la sua personalità e aiutalo a scegliere i vestiti più adatti a lui.

(Auto)valutarsi

Parlare in una lingua straniera è difficile, perché non c'è molto tempo per pensare.

Per migliorare il proprio modo di parlare è utile registrarsi e ascoltarsi con più calma. Ecco una griglia che puoi usare per valutare i tuoi progressi.

	☺	😐	☹
a) Quando parlo riesco sempre a spiegare quello che voglio dire?			
b) Quello che dico è abbastanza corretto (grammatica)?			
c) Parlo usando molte parole diverse?			
d) Uso una buona pronuncia?			
e) Faccio molte pause?			

Scrivere

1

a Quando scrivi in italiano, per esempio una lettera, cominci subito a scrivere? E alla fine che controlli fai? Discutine con la classe.

Prima di scrivere

2

a Prima di scrivere è importante farsi sempre queste tre domande.

1. A CHI scrivo?   2. PERCHÉ scrivo?   3. CHE COSA voglio comunicare?

Esempio: compito di scrittura.
Immagina la vacanza che ti piacerebbe fare. Il sogno è diventato realtà: racconta la vacanza dei tuoi sogni in una lettera a un amico. Prima di scrivere, rispondi alle 3 domande che trovi sopra.

Carola ,
finalmente quest'anno sono andato in vacanza

b Quando scrivi un testo, come per esempio una lettera, prima di scrivere è utile raccogliere le idee. Guarda come questi studenti raccolgono le idee prima di cominciare a scrivere.

Charles

- # Viaggio
- # Albergo
- # Monumenti
- # Musei

Ingo

CITTÀ

MEZZI

Alberghi   Ristoranti

SISTEMAZIONE

ITALIA

...   ARTE

Monumenti   Musei

Paul

arrivato aeroporto h 11

albergo centro, stanza rumorosa

visitato Fori, pranzo Piazza Navona

● E tu, come preferisci raccogliere le idee prima di scrivere?

Dopo aver scritto

3

a Confrontati con la classe.

1. Mentre scrivi rileggi le frasi che hai scritto?
2. Quando hai finito di scrivere rileggi il testo? Quante volte?
3. Che cosa controlli? (es. il plurale dei nomi)

b Rileggi la lettera che hai scritto e poi segna con una X che controlli sono più utili per te.

☺ molto utile per me   ☺ abbastanza utile per me   ☹ poco utile per me

Controllare se: ☺ ☺ ☹

1. Ho usato il Tu (con un amico) o il Lei (con una persona che non conosco) in tutta la lettera? ☐ ☐ ☐
2. Ho scritto tutte le idee che avevo raccolto? ☐ ☐ ☐
3. Ho cominciato la lettera con *Caro....*? ☐ ☐ ☐
4. Ho finito la lettera con i saluti? ☐ ☐ ☐
5. Ho messo la **punteggiatura**? (maiuscole, punti, virgole, ecc.) ☐ ☐ ☐
6. Ho usato i **connettivi** per legare le idee tra loro (es. *e, poi, ma, perché*)? ☐ ☐ ☐
7. Ho accordato il nome con l'articolo e l'aggettivo al maschile/femminile, singolare/plurale? ☐ ☐ ☐
8. Ho accordato il soggetto con il verbo alla persona giusta? ☐ ☐ ☐
9. Ho controllato se i verbi sono al tempo giusto? (es. presente, passato) ☐ ☐ ☐
10. Ho controllato l'ortografia delle parole (es. le consonanti doppie, <chi> / <ci>) ☐ ☐ ☐

Lessico

Memorizzare le parole nuove

1

a **Fai questo esercizio. Poi scegli tre parole (aggettivi) che vuoi memorizzare.**

Trova l'intruso.

1. Prendi il té … ?   ☐ a. freddo   ☐ b. caldo   ☐ c. frizzante   ☐ d. dolce
2. Vorrei delle verdure   ☐ a. cotte   ☐ b. pesanti   ☐ c. crude   ☐ d. grigliate
3. Non mi piace la pasta ☐ a. scotta   ☐ b. al dente   ☐ c. cruda   ☐ d. amara

La nostra memoria è un grande magazzino in cui entrano molti dati. Per ricordare le parole bisogna **lavorare con le parole il più possibile**. Se le parole lasciano delle **tracce profonde** nella memoria quando ci servono riusciamo a recuperarle facilmente.

donna **mela**
coniglio fiore acqua
giustizia **uomo**
amore

Frutta   Primi

CIBO   Verdur

Dolci   Secondi

b **Ogni persona usa tecniche diverse per imparare a memoria le parole nuove. Ecco una lista di *alcune di queste tecniche*. Quale ti sembra meglio? Quale usi di più? Discutine con alcuni compagni.**

1. scrivo la parola e la rileggo / ripeto molte volte
2. appendo dei memo per la casa con le parole che voglio ricordare
3. associo la parola a qualche immagine mentale (Vorrei la pasta *al dente*, per favore.)
4. cerco dei collegamenti con parole che già conosco in italiano o in un'altra lingua straniera (*grigliate, salato*)
5. organizzo le parole in mappe
6. altre _____

_____

c Vuoi provarne alcune per memorizzare le tre parole che hai scelto?

Dopo qualche giorno discuti con la classe:

● la tecnica/le tecniche che hai sperimentato   ● se la tecnica per te è stata efficace o no
● altre tecniche che non ci sono nella lista e che per te funzionano

d Tieni un quaderno, una rubrica in cui scrivi le parole nuove che incontri? Ecco come fa per esempio Carmen. Che cosa annota per ogni parola?

	Categoria grammaticale				
Caffè **ristretto**	aggettivo	*espresso* (ingl.)		Non mi piace il caffè ristretto perché è troppo forte.	Caffè (al plur. resta *caffè*, *due caffè*)

E tu, come organizzi le parole nuove? Confrontati con la classe.

Indovinare il significato di parole sconosciute

2

a Leggi questo testo e sottolinea le parole che non conosci.

1   Il cinema ha il numero più grande di preferenze. Gli italiani oltre ad andare al cinema, amano visitare i musei e le mostre (28,6%), guardare gli spettacoli sportivi (27,8%) e andare a ballare in sale da ballo o in discoteche. Il 18% della popolazione dice di fare sport regolarmente, ma il 10,4% fa sport solo "occasionalmente". In generale l'attività fisica riguarda
5   quindi il 28,4% degli italiani, in particolare al Nord. Gli italiani che fanno sport regolarmente abitano prevalentemente nelle metropoli.

b Segna con una X che cosa fai di solito quando incontri una parola che non conosci. Poi confrontati con la classe.

☐ **a.** Non mi preoccupo e vado sempre avanti.

☐ **b.** Mi fermo e cerco subito la parola sul dizionario.

☐ **c.** Chiedo a un insegnante o a un compagno.

☐ **d.** Se la parola non è importante per capire il testo vado avanti, se è importante la cerco subito sul dizionario.

☐ **e.** Se la parola è importante provo a ricostruire il significato e se non sono soddisfatto la cerco sul dizionario.

c Prova a usare le strategie elencate sotto per indovinare il significato di queste parole, presenti nel testo che hai letto.

a. (r. 2) mostre b. (r. 4) occasionalmentec. (r. 6) metropoli

● Rileggo con attenzione la parte di testo che viene prima e dopo la parola.
● Provo a vedere se la parola è formata da pezzi che conosco (es. *giornal-ista*)
● Provo a collegare la parola con un'altra che conosco e che le somiglia.

Che strategie hai usato per ogni parola? Confrontati con alcuni compagni.

Appendici

Unità 7, Produzione libera, es. 1, p. 130

Identità 1

Sei un *manager* stanco della vita stressata. Hai deciso di cambiare vita, lavoro e look. Hai appena trovato lavoro come DJ in una discoteca. Devi comprare nuovi vestiti perché stasera inizi il tuo nuovo lavoro. Guarda la vetrina, scegli gli abiti che vuoi comprare ed entra nel negozio.

Identità 2

Hai finito l'università e ti hanno appena assunta come traduttrice. Lunedì devi lavorare in un convegno con molte persone importanti, ma non hai abiti per l'occasione. Guarda la vetrina, scegli gli abiti che vuoi comprare ed entra nel negozio.

Unità 9, Grammatica, es. 2b, p. 159

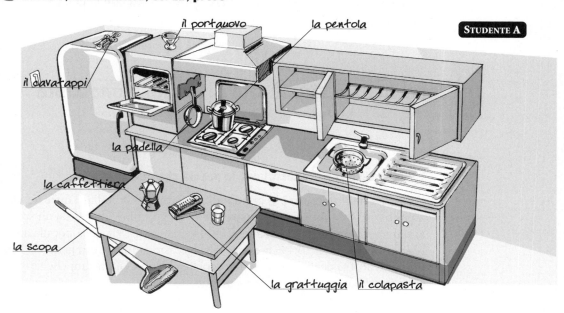

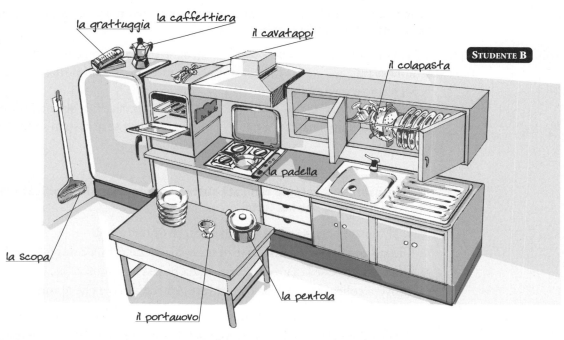

● **Unità 9, Produzione libera, es. 1, p. 164**

STUDENTE B

Studio Casa
A pochi minuti da Salerno nuovissima villa singola su un unico livello, ampio giardino esclusivo, doppio box, finiture particolari.

Zona: quartiere residenziale in mezzo a due parchi; servita da bus di linea, negozi a 10'
Metratura: 180 mq con giardino di 400 mq, con piante
Struttura: ingresso, cucina abitabile, sala da pranzo, salotto con camino, 4 camere da letto (due matrimoniali, due singole) e studio, due bagni (con idromassaggio), lavanderia, cantina, doppio box
Prezzo: 359.000 euro trattabili (fino a 350.000)

Unità 6

1 (b) Informazioni corrette: a, e, f, g, h, i, l. **(c)** 1. 30 euro; 2. 5 euro; 3. 22 euro; 4. 35 euro.

2 (a) 1. gratuito; 2. gratuito; 3. scontato; 4. scontato; 5. con supplemento. **(b)** 1. 68 euro; 2. con il motoscafo; 3. 20 euro; 4. no. **(c)** 1. e; 2. b; 3. a; 4. d; 5. c

3 (1) vacanza; (2) amici; (3) aereo; (4) campeggio; (5) tempo; (6) caldo; (7) spiaggia; (8) sole; (9) ristorante; (10) gelato; (11) passeggiata; (12) turisti.

4 1. b; 2. e; 3. a; 4. g; 5. c; 6. d; 7. f.

6 (1) C'è ; (2) fa; (3) è; (4) è; (5) c'è; (6) fa.

7 *(Risposte possibili)* 1. Dove sei stato? 2. Ci sei andato per lavoro? 3. Hai viaggiato in aereo? 4. Quanto è durato il viaggio?

8 (1) è andata; (2) ci siamo divertiti; (3) siete andati; (4) sono venuti; (5) avete fatto; (6) siamo rimasti; (7) abbiamo noleggiato; (8) abbiamo viaggiato; (9) siamo fermati; (10) abbiamo fatto; (11) abbiamo preso; (12) abbiamo visto; (13) siete tornati; (14) è rientrata; (15) hai fatto; (16) sei andata; (17) sono partita; (18) è stata.

10 Il fine settimana scorso sono andato a sciare in Trentino, a Canazei, con degli amici. Il sabato mattina siamo partiti verso le nove e siamo arrivati sulle piste all'una. Abbiamo sciato tutto il pomeriggio e alle sei, dopo una bella doccia, abbiamo fatto la sauna in albergo. A cena abbiamo mangiato delle specialità locali preparate dalla padrona del ristorante e poi abbiamo giocato a carte. La domenica mi sono alzato presto e ho preso il primo skilift: i miei amici, invece, sono restati a letto fino a tardi e sono venuti a sciare verso le 11. Verso le due abbiamo preso un panino al bar e siamo rientrati in città.

11 1. Avete già comprato i biglietti. 2. Ho già finito di lavorare. 3. Non sono ancora partiti. 4. Si è già addormentata. 5. Abbiamo già cenato. 6. Non hai ancora riordinato la camera.

12 1. la = la festa; 2. li = i progetti; 3. la = Lei (signora Feggi); 4. li = i biglietti; 5. la = la caparra; 6. le = le prenotazioni; 7. la = Lei (signora Feggi).

13 (1) lo; (2) li; (3) le; (4) la; (5) lo; (6) la.

14 1. si fanno le vacanze in agosto; 2. si viaggia molto in auto; 3. si usano poco le biciclette; 4. si visitano molte città d'arte; 5. si apprezza la buona cucina; 6. si spende molto per le vacanze.

16 1. Viene dall'Africa e va negli Stati Uniti. 2. Vengono dalla Germania e vanno a Singapore. 3. Vieni dalle Filippine e vai in California. 4. Venite dalla Sicilia e andate in Piemonte. 5. Veniamo dal Marocco e andiamo a Parigi.

18 (1) per; (2) quando; (3) se; (4) perché.

19 1. scivolo; 2. schiena; 3. pesce; 4. pesche; 5. prosciutto; 6. scuola; 7. sciopero; 8. scopa; 9. fascia; 10. scarpe.

20

[ʃi] *(scivolare)*	[ʃe] *(scendere)*	[ʃu] *(asciugare)*	[ʃo] *(sciogliere)*	[ʃa] *(lasciare)*
scivolo	pesce	prosciutto	sciopero	fascia

[ski] *(fischiare)*	[ske] *(schedare)*	[sku] *(scuotere)*	[sko] *(scoprire)*	[ska] *(scalare)*
schiena	pesche	scuola	scopa	scarpe

21 – Cosa ti è successo? • Mi sono rotto il braccio. – Ma come hai fatto? • L'altra sera sono andato a cena a casa di Licia. Ho preso l'ascensore e quando sono uscito sono scivolato su una macchia d'olio e sono caduto dalle scale. – Olio? • Sì, la sua vicina è andata a fare la spesa e ha comprato del pesce fritto. Era in un cartoccio che si è rovesciato proprio davanti all'ascensore. – Che sfortuna! Ma perché la vicina non l'ha asciugato? • Non ha fatto in tempo. Io sono arrivato subito dopo.

Unità 7

1 1. a; 2. b; 3. b; 4. a; 5. c; 6. b.

2 (b) 1. f; 2. a; 3. d; 4. c; 5. e; 6. b. **(c)** 1. c; 2. b; 3. c; 4. a.

3 1. Compro la frutta nel negozio di frutta e verdura. / dal fruttivendolo. 2. Compro la carta da lettera in cartoleria. / dal cartolaio. 3. Compro le sigarette in tabaccheria. / dal tabaccaio. 4. Compro le scarpe nel negozio di scarpe. / dal calzolaio. 5. Compro i pasticcini in pasticceria. / dal pasticciere. 6. Compro il pane in panetteria. / dal panettiere. 7. Compro il prosciutto in salumeria. / dal salumiere. 8. Compro il pesce in pescheria. / dal pescivendolo.

4 1. Gelatò: gelateria; 2. Carta e Cose: cartoleria; 3. Il Vendoro: oreficeria; 4. Leggere: libreria; 5. Profumi d'Oriente: profumeria; 6. Linea Moda: abbigliamento; 7. 1h Clean: lavanderia; 8. La Testa a Posto: parrucchiere; 9. Nuovi Tacchi: calzolaio; 10 Spesa Amica: ipermercato.

5 1. camicie, jeans; 2. abito, scarpe, calze; 3. completo, scarpe; 4. pantaloni, maglietta, cappello.

6 1. maglione di/in lana; 2. pantaloni a righe; 3. gonna a pois; 4. cravatta di/in seta; 5. camicia in tinta unita. 6. camicia fantasia; 7. giacca a quadri; 8. cintura e scarpe di/in pelle.

7 Orizzontali: pesante, classico, scuro, chiaro, elegante, leggero; **Verticali:** stretto, lungo, moderno, sportivo.

8 1. biancheria intima nera; 2. occhiali neri, penna stilografica rossa; 3. scarpe gialle, cappellino di lana verde; 4. calzettoni azzurri e bianchi, bella maglietta arancione; 5. guanti grigi, bella sciarpa marrone.

9 (a) 1. La ruota della macchina; 2. un pezzo di montagna; 3. un mattone sul camino 4. un po' di neve sul tetto; 5. la coda del cane; 6. il pon pon del cappello; 7. la maniglia dello zaino; 8. un pezzo di strada; 9. la cima dell'albero; 10. le antenne. **(b)** 1. Gli manca un pezzo; 2. Le mancano un mattone sul camino e un po' di neve sul tetto; 3. Le manca una ruota; 4. Gli manca il pon pon sul cappello; 5. Gli manca la maniglia; 6. Gli manca un pezzo di strada; 7. Gli manca la cima; 8. Gli manca l'antenna.

10 (1) gli; (2) le; (3) le; (4) gli; (5) gli; (6) gli; (7) gli.

11 1. Ne comprano due etti. 2. Ne comprano una fetta / un pezzo. 3. Ne comprano tre pacchetti / scatole. 4. Ne comprano una dozzina. 5. Ne comprano due litri. 6. Ne comprano tre chili. 7. Ne comprano un barattolo.

12 (1) la; (2) la; (3) li; (4) lo; (5) li; (6) le.

13 1. gli manda; 2. ne compra; 3. gli telefona/telefona loro; 4. la aiuta / l'aiuta; 5. le promette; 6. ne apre solo tre; 7. lo regala; 8. gli regala/regala loro; 9. ne prende; 10. gli prepara/prepara loro.

14 1. più, delle; 2. meno, dei, più, che; 3. meno degli; 4. più delle, come; 5. meno, che, più; 6. più, che, come.

15 (1) la mia; (2) i miei; (3) il mio; (4) il tuo; (5) la tua; (6) i nostri; (7) le vostre; (8) le nostre; (9) il suo; (10) il mio; (11) la mia; (12) il suo; (13) la sua.

16 1. costerà; 2. avrà; 3. peseranno; 4. costeranno; 5. peserà; 6. porterà/avrà.

18 1. b, e, i; 2. a, f; 3. c, g; 4. h, d.

19 1. g; 2. e; 3. h; 4. d; 5. a; 6. b; 7. c; 8. f.

20 (1) g; (2) e; (3) c; (4) h; (5) a; (6) d; (7) i; (8) f; (9) b.

21 1. sandali; 2. astuccio; 3. portamatite; 4. mostra; 5. stilo; 6. appendere; 7. scaldamani; 8. rossetto; 9. tracolla; 10. smalto; 11. cinturino; 12. ritratto.

22 1. La tuta è un indumento indispensabile per chi va in palestra. 2. È indossata da tutti, uomini e donne, si usa per tenere su i pantaloni: è la cintura. 3. Per molta gente i pantaloni stretti sono scomodi. 4. In estate l'indumento più comodo da mettere addosso è sicuramente una maglietta di cotone. 5. Le donne italiane tendenzialmente sono molto attente ai dettagli della moda.

Unità 8

1a

Giulia	Francesca	Rosalba	Luigi
seria	pigra	*curiosa*	indisciplinato

1b

	età	scuola attuale	progetti futuri
Giulia	13 anni	3ª media	Liceo scientifico, laurea in medicina, diventare chirurgo
Francesca	19 anni	4° anno Istituto tecnico commerciale	Fare la segretaria in un'azienda
Rosalba	17 anni	4° anno Liceo Linguistico	Iscriversi a Lingue o Scienze della comunicazione, studiare un anno all'estero con il progetto Socrates
Luigi	16 anni	2° anno Istituto Professionale per l'industria	Andare a lavorare

1c (1) mi sono iscritto; (2) prendevo dei bei voti; (3) materie; (4) la sufficienza; (5) hanno bocciato.

2 (a) 1. d; 2. f; 3. e; 4. b; 5. a; 6. c. **(b)** 1. V; 2. F; 3. V; 4. F; 5. V; 6. V.

3 a: 12 e 11; b: 10; c: 7 e 9; d: 6 e 5; e: 4; f: 3; g: 2; h: 1.

4 1. suocera; 2. genero; 3. nipote; 4. nipote; 5. cognata; 6. scapolo; 7. cugina; 8. zitella; 9. vedovo.

5 1. d; 2. e; 3. a; 4. b; 5. f; 6. c.

6 1. occhio; 2. bocca; 3. mano; 4. capelli; 5. naso.

7 1. alta, magra, lunghi, ricci, occhi; 2. bassa, alti, normale, pesa, capelli, bocca; 3. alto, metro, chili, baffi, larghe, braccia, lunghe.

8 1. timida; 2. sincera; 3. pigra; 4. scortese, nervosa; 5. allegro; 6. serio, simpatico.

9 1. infelice; 2. scortese; 3. scorretto; 4. impaziente; 5. indisciplinato.

10 (1) la tua; (2) tua; (3) mio; (4) mia; (5) mio; (6) il nostro; (7) i nostri; (8) nostra; (9) mio; (10) la sua; (11) i nostri; (12) i loro; (13) mio; (14) nostra.

11 1. le sue nipoti; 2. i miei amici; 3. le sue sorelle, i suoi figli; 4. le mie cugine erano molto gelose dei loro giocattoli; 5. i nostri professori erano molto severi; 6. i vostri zii americani; 7. i miei fratelli si incontrano, i loro vecchi compagni.

12 (1) prendevamo; (2) erano; (3) andavano; (4) c'erano; (5) passavamo; (6) stava; (7) veniva; (8) abitava; (9) andavamo; (10) era; (11) era; (12) era; (13) era; (14) portava; (15) andavano; (16) era; (17) poteva.

13 *(Risposta possibile)*. I Fadda andavano in vacanza in montagna. Il figlio giocava a pallone; la figlia dipingeva; i signori Fadda passeggiavano; il figlio lavava il cane; la figlia raccoglieva i funghi; i signori Fadda giocavano a carte.

14 1. Prima andavo al mare, ora vado in montagna. 2. Prima avevo una motocicletta, ora ho un'automobile. 3. Prima abitavo in un condominio, ora abito in una villetta. 4. Prima ero magro, ora sono grasso. 5. Prima facevo il meccanico, ora faccio il verduriere/fruttivendolo.

15 1. Le passo Carla, vuole parlarle. 2. Le consiglio di studiare con qualcuno. 3. La richiamo domani. D'accordo? 4. Cosa le piace? Il vestito corto o lungo? 5. Ma io la conosco. È un'amica di Vanessa. 6 Che cosa le è successo ieri sera? 7. La invito alla mia festa di laurea. 8. La sveglio alle 7.

16 1. l', ti; 2. le, le, gli; 3. La, mi, La, La; 4. le, le; 5. l', gli; 6. ci, vi.

17 1. A Maria è molto piaciuto il servizio da tè che **le** hai regalato per il suo matrimonio. 2. Signora, **Le** manca qualcosa? Devo passare in cartoleria. 3. Mauro non sopporta sua sorella, **le** risponde sempre in modo scortese. 4. Se non guardi la televisione, perché non la spegni? 5. Hai scritto ai tuoi cugini? Sì, **gli** ho mandato ieri un biglietto d'auguri. 6. Signora Rasario, **Le** consiglio di iscrivere suo figlio a Lingue. 7. Ho telefonato ai nonni e **li** ho ringraziati. 8. Quando ero al liceo mi piacevano le materie scientifiche e **le** studiavo con passione. 9. Io e tua madre vi aspettiamo. Quando **ci** venite a trovare? 10. **La** aiuto ad attraversare la strada, Signor Gigli?

18 1. Sì, l'abbiamo incontrata a lezione due giorni fa. 2. Sì, li ho presi ieri al mercato. 3. Sì, l'ho chiamato stamattina. 4. Gli ho scritto ieri. 5. Sì, le ho risposto qualche giorno fa. 6. Sì, gli ho telefonato un attimo fa. 7. Sì, l'abbiamo fatta. 8. Le ha promesso un cellulare nuovo. 9. Ci ha raccontato di quando lei era bambina. 10. Sì, le è piaciuto moltissimo.

19 1. per; 2. a; 3. di; 4. con; 5. con; 6. per.

20 1. Ho preso un bel voto in matematica anche se non mi piace. 2. Mette la minigonna anche se ha le gambe storte. 3. Gioca a pallavolo anche se non è alta. 4. Vedo poco i miei fratelli, anche se li sento spesso per telefono. 5. Non ho fatto l'università anche se mi piaceva studiare. 6. Non studiavo molto, anche se sono sempre stato promosso. 7. Marco ha voluto sposarsi anche se non ha ancora finito gli studi.

21 1. famiglia; 2. filo; 3. figlio; 4. farfalla; 5. moglie; 6. li; 7. biglietto; 8. sballo; 9. sbaglio; 10. vaglia; 11. agli; 12. ali; 13. folle; 14. foglie; 15. sveglierà; 16. svelare; 17. meglio; 18. melo.

22 (a) a. 1. fratello, 2. maggiore, 3. tre; b. 1. campagna, 2. piccola, 3. estive; c. 1. sportiva, 2. bell'aspetto, 3. sogno. **(b)** 1. c; 2. a; 3. c; 4. a; 5. b; 6. b.

Unità 9

1 (a) 1. V; 2. F; 3. F; 4. V; 5. F; 6. V. **(b)** I mobili nuovi: 2, 3, 7, 8.

2 a. 5; b. 1; c. 3.

3 (a) 1. F; 2. F; 3. V; 4. V; 5. F; 6. V; 7. F. **(b) Abbreviazioni:** massimo: max; destra: dx; sinistra: sx.

4 1. centrale; 2. occupato; 3. arredato; 4. comprare; 5. inquilino.

5 In senso orario: l'armadio, il fornello, il cavatappi, le sedie, gli scaffali, il quadro, la vasca, la poltrona, il colapasta, il tavolo, lo specchio, il lavandino, il divano, il tappeto, la doccia, il bidet, la lavatrice, il water, la caffettiera, la scrivania, la lampada.

Camera da letto: la caffettiera va in cucina; il divano va in soggiorno. Soggiorno: lo scolapasta va in cucina; la vasca da bagno va in bagno. Cucina: il lavandino con lo specchio va in bagno.

6 1. 430.000 €; 2. 77.000 €; 3. 800 €; 4. 15.000 €; 5. 222.000 €; 6. 350.000 €; 7. 177.000 €; 8. 790.000 €; 9. 335.700 €; 10. 560 €.

8 1. Se non verrà a riparare il riscaldamento entro domani chiamerò un altro tecnico. 2. Se i miei vicini di casa continueranno a suonare il pianoforte dopo le 22.00 avviserò l'amministratore del condominio. 3. Se avremo abbastanza soldi cambieremo la cucina. 4. Se l'ascensore si romperà di nuovo bisognerà cambiarlo. 5. Se arriverai tardi andrò da sola a vedere l'appartamento che ci ha proposto l'agenzia. 6. Se avranno un bambino compreranno un appartamento più grande. 7. Se Giulio guarirà dall'influenza passeremo il Capodanno nella casa di montagna dei miei.

9 *(Risposte possibili)* 1. Ti prometto che non farò rumore. 2. Ti assicuro che terrò la televisione a basso volume. 3. Stai tranquilla che non porterò altri amici. 4. Ti giuro che non fumerò in casa. 5. Ti prometto che non lascerò le luci accese.

6. Ti assicuro che pulirò e metterò in ordine. 7. Ti prometto che darò da mangiare al gatto. 8. Ti assicuro che non accenderò la radio dopo le 23.

10 (1) vivrete; (2) sarà; (3) avrete; (4) migliorerà; (5) farete; (6) ci saranno; (7) sarà; (8) farete; (9) sarete; (10) apprezzeranno; (11) darà; (12) vi sentirete; (13) dovrete; (14) mancheranno.

12 1. sarà; 2. saranno; 3. sarà; 4. sarà; 5. sarà; 6. avrà.

13 1. Dove sono i libri? Sono sugli scaffali. 2. Dove sono i piatti? Sono nella credenza. 3. Dov'è il gatto? È sulla poltrona. 4. Dov'è il quadro? È sopra la cassettiera. 5. Dov'è il comodino? È a destra del letto. 6. Dov'è la cucina a gas? È tra il frigo e il lavandino. 7. Dov'è la scrivania? È vicino alla finestra. 8. Dov'è la libreria? È in fondo al corridoio.

14 1. I calzini sono sul letto. 2. Le scarpe sono sotto la sedia. 3. Il portacenere è sulla scrivania. 4. La giacca è nell'armadio. 5. Lo zaino è sul letto. 6. La cintura è nel cassetto. 7. I libri sono nella libreria. 8. I CD sono sul pavimento/tappeto. 9. Il quadro è sul letto. 10. La valigia è sotto il letto. 11. I pantaloni sono nell'armadio. 12. Il computer è nell'armadio.

15 1. Mentre uscivo di casa ho incontrato il postino che mi ha dato un pacco. 2. Mentre parlavo al telefono il gatto ha bevuto il mio latte. 3. Mentre Gianni andava al lavoro, ha avuto un incidente. 4. Mentre mio figlio andava a scuola in autobus, gli hanno rubato il portafoglio. 5. Mentre mi riposavo sul divano è suonato il campanello della porta di casa. 6. Mentre eravamo in vacanza sono entrati i ladri nel nostro appartamento. 7. Mentre parlavo con il mio direttore è squillato il mio telefonino.

16 1. ho incontrato, siamo andati; 2. ho incontrato, usciva; 3. ha perso, ha potuto fare; 4. ha perso, faceva; 5. è venuto, cenavamo; 6. è venuto, abbiamo cenato; 7. è andata, riordinavo; 8. è andata, ho riordinato.

17 1. Siccome per questo pago un affitto troppo alto, cerco un altro appartamento. 2. Siccome vorremmo un giardino, abbiamo intenzione di cambiare casa. 3. Siccome Marisa aveva la febbre molto alta, ho chiamato il medico. 4. Siccome i muri della cucina e del soggiorno sono molto sporchi, chiameremo l'imbianchino. 5. Siccome la caldaia è rotta, ho telefonato all'idraulico. 6. Siccome alcune prese della casa non funzionavano più, è venuto l'elettricista. 7. Siccome in taverna d'inverno faceva molto freddo, abbiamo messo il camino. 8. Siccome d'estate entra troppo sole, ho messo le tende alle finestre. 9. Siccome mia figlia è allergica alla polvere, ho tolto tutti i tappeti dalle stanze.

18 *(Risposta possibile)*. 1. Buongiorno, che cosa desidera? 2. Quanto vuole spendere? 3. C'è l'ascensore? 4. Avete qualcos'altro? 5. Che zona è? 6. No, grazie, vorrei una zona tranquilla. 7. Le spese sono incluse? 8. Posso fissare un appuntamento? 9. Perfetto!

19 1. nonno; 2. sonno; 3. sano; 4. Pina; 5. tonno; 6. panne; 7. m'ama; 8. gemme; 9. vorremo; 10. gramo; 11. faremmo; 12. cammino.

20

AMICA Allora, avete comprato casa, finalmente!
MOGLIE DEL SIGNORE Sì e siamo anche molto soddisfatti. Dai, siediti che ti faccio vedere la piantina dell'appartamento. Allora, qui si entra nel soggiorno che comunica a sinistra con la cucina.
AMICA Ah, però, il soggiorno affaccia anche su un bel terrazzo!
MOGLIE DEL SIGNORE Sì, in effetti è uno dei motivi che ci ha fatto decidere per questo appartamento, così d'estate potremo mangiar fuori. Poi dal soggiorno si passa nella zona notte. Qui sulla destra c'è un piccolo bagno con la doccia, poi sempre su questo lato la cameretta del bambino che dà su un balcone. Qui a sinistra invece c'è la camera matrimoniale e tra le due camere il bagno un po' più grande con la vasca.

Unità 10

1 (a) 1. b; 2. 31 maggio; 3. b. **(b)** 1. a; 2. b; 3. c; 4. a; 5. b.

2 1. 12 milioni; 2. il 31,5% degli uomini e il 17,2% delle donne; 3. 85.000; 4. dal 10 gennaio 2005.

3 2; 5; 6; 7; 8.

4 Nell'armadietto dei medicinali ci sono delle pastiglie per il mal di testa, delle aspirine, delle gocce, delle pomate, dei cerotti, dello sciroppo, il termometro, (delle bende, delle garze, del disinfettante…).

5 1. No, non ha più il gatto, ma ha ancora il cane. 2. No, non vedo più Laura, si è trasferita a Como, ma vedo ancora Filippo. 3. No, non vado più in piscina il martedì, ma vado ancora in palestra il giovedì. 4. Non ho più il mal di gola, ma ho ancora la tosse. 5. No, non insegno più francese, ma insegno ancora italiano.

6 1. non ho più sete; 2. ho ancora sonno; 3. non ho più freddo; 4. ho ancora fame.

7 Verticale (da sin. a ds): gambe, pancia, testa, collo, piede. **Orizzontale** (dall'alto in basso): spalle, braccia, mano.

8 (1) correte; (2) sedetevi; (3) girate la testa; (4) piegate; (5) sdraiatevi; (6) allungate; (7) piegate; (8) saltellate.

9 1. a; 2. m; 3. n; 4. d; 5. c; 6. h; 7. f; 8. i; 9. e; 10. b; 11. g; 12. l.

10 1. Ascoltatela! 2. Gli scriva! 3. Non romperlo! 4. Parliamole! 5. Non lo faccia! 6. Non prendeteli! 7. Comprale! 8. Non mangiamoli!

11 (1) vi cadono; (2) fatele; (3) usatela; (4) vi rovina; (5) lasciatele; (6) mettetele; (7) mi ha insegnato;

(8) mescolarla; (9) metterla; (10) prendetene; (11) Vi propongo; (12) mescolatele; (13) bevetene.

12 1. si è rotta una gamba; 2. mi sono tagliato; 3. si è scottata; 4. si è ferita; 5. non ci siamo fatti male.

13 1. gli fa male; 2. le fanno male; 3. mi fanno male; 4. ti fa male; 5. vi fanno male; 6. le fa male.

14 (1) ha avuto; (2) ero; (3) avevo; (4) prendevo; (5) sono andato; (6) sono guarito; (7) ha fatto; (8) ho preso; (9) ha detto; (10) è stato; (11) sono caduto; (12) mi sono rotto.

15 Sabato scorso sono andato a trovare i nonni in campagna, ho passato il pomeriggio con i miei cugini, Lina e Giovanni. Dopo pranzo, mentre i nonni riposavano, siamo andati in bicicletta al fiume a prendere il sole. Verso le sei siamo tornati e siamo stati un po' con i nonni. Dopo cena abbiamo preso di nuovo le biciclette e siamo andati a fare un giro nel paese vicino, dove ci sono/c'erano degli amici di Lina che hanno/avevano la macchina. Abbiamo fatto quattro chiacchiere, abbiamo bevuto una birra e poi siamo andati in un locale dove suonava il ragazzo di Lina. Facevano/hanno fatto della musica sudamericana che a me piace/è piaciuta molto: abbiamo ballato fino a tardi e ci siamo divertiti moltissimo.

16 (1) niente; (2) qualche; (3) nessuno; (4) qualcosa; (5) qualcuno; (6) nessuno; (7) tutti.

18 1. dopo; 2. durante; 3. prima di; 4. durante; 5. dopo; 6. prima di; 7. durante; 8. dopo.

19 1. Ho conosciuto Fred mentre ero in vacanza. 2. Ho letto il giornale mentre viaggiavo. 3. Mi piace ascoltare la radio mentre mangio/ceno. 4. Barbara si è fatta male mentre giocava a tennis. 5. Viviana mi ha chiamato mentre visitavo il museo.

20 1; 4; 5; 7; 8.

21 3; 4; 7.

22 1. v; 2. f; 3. f; 4. f/v; 5. v; 6. f; 7. v; 8. f/v; 9. v; 10. f.

23 1. g; 2. f; 3. e; 4. a; 5. b; 6. d; 7. c.

24 – Ciao, come va?
• Bene, ho finalmente trovato casa vicino all'Università.
– Davvero?
• Sì, è un vero affare, pago solo 300 euro di affitto al mese. E tu, come è andato il tuo viaggio di lavoro in Svizzera?
– È stata un'avventura! Figurati che c'è stata una terribile nevicata e sono rimasta ferma in autostrada per sette ore.
• Che sfortuna!